家を借りたくなったら

長谷川 高

WAVE出版

それぞれの理想の部屋　1

KAさん

畳部屋で椅子に腰掛けない生活はなぜか落ちつく。

それぞれの理想の部屋　1
KAさん

作りつけの棚にはまっているガラスもお気に入りのひとつ。

KAさんDATA
所在地：東京都世田谷区下北沢
最寄り駅：小田急線下北沢駅 徒歩1分
造り：木造
決めて：周囲の環境
面積：22㎡
間取り：1DK
その他：築年不明2階建ての2階
家族構成：1人
契約時年齢：29歳
家賃：7万7千円
前家賃：6万8千円

契約期限を迎えるたびに引っ越すのが好きだったKAさん。今回の住まいでは初の更新をした。何より駅から近く、同年代の単身者でにぎわうファッション性あふれる街、そんな下北パワーに住まう心地よさからか、帰宅するのが楽しみになった。相当な築年数に負けない好みの部屋に対応できる収納、そして、この部屋で身についたミニマムな暮らし方のおかげか、しばらく不動産屋さんをのぞくことはないだろうという。

出勤前のひととき。

こだわりのおいしいコーヒーをいれるのが何よりのひととき。

それぞれの理想の部屋 2
AJさん

一日の疲れを癒すグッズも気になるこの頃。

朝日がうまく射しこんでくる位置にベッドを置いて正解。

なかなか得がたい落ちついた空間。

AJさんDATA

所在地：東京都世田谷区奥沢
最寄り駅：東急東横線・東急大井町線
自由が丘駅 徒歩3分
造り：鉄筋コンクリート
決めて：ホテルライクな佇まい
面積：23.06㎡
間取り：1R
その他：築1年10階建て
家族構成：1人
契約時年齢：30歳
家賃：11.9万円 管理費 8000円
前家賃：10.5万円

おしゃれ商業エリアで1、2階には有名インテリアショップ。そんなお店を横目にアートが迎えるエントランスホールを抜ければ、居住者だけに許されたプライベートな空間が広がる。いつも忙しくしているAJさんのクリエイティブな発想を手助けしてくれるホテルライクな住まい方は都市生活者のひとつのスタイルなのだろう。余計なモノを一切排除したブラックで統一された内装は、シンプルイズベストの極み。生活感がないホテルのような非日常を日常とする暮らしが実現されている。

それぞれの理想の部屋 2
AJさん

谷中の心地よい青空に週末の洗濯物を。

それぞれの理想の部屋 3
FYさん

書斎のガラス柄は今はあまり見かけないヤツデ。

それぞれの理想の部屋 3
FYさん

時代を読み解く仕事のFさん夫妻。友も交えて語り明かすに十分な和洋クロスした空間。

FYさんDATA
所在地：東京都台東区谷中
最寄り駅：千代田線千駄木駅 徒歩3分
造り：木造3階建て
決めて：立地、広さ
面積：50㎡
間取り：3K＋ロフト
家族構成：2人
契約時年齢：28歳（夫）、27歳（妻）
家賃：13万円

新婚時に住んでいた東東京の繁華街から離れて、野良猫と昭和の匂いが漂う谷中に越してきたのは、散歩がてら不動産屋さんをのぞいてみたからだ。そこで紹介されたこの物件にひと目惚れ、夫婦ふたりで直感したとおりの暮らしが5年つづいている。友人も集まり、地方の兄弟も気兼ねなく泊まってくれる。

大きいシンクでストレスなく台所に立てる。

それぞれの理想の部屋 4
KNさん

採光を考えた寝室と趣味の部屋。

裏側からも使えるように奥行きを半分にした押し入れは、ちょうどいいテレビ台。

そして、こちらは食器棚に。

シャンプーからカット、パーマまでひとりでこなす完全予約制のヘアサロン。

心がぐっと落ちつくシャンプー室。

KNさんDATA

所在地：東京都世田谷区若林
最寄り駅：東急世田谷線若林駅 徒歩1分
造り：木造2階建て屋根裏部屋付き
決めて：立地、貸住付店舗、改装可
面積：土地17坪
間取り：店舗スペース&2LDK
家族構成：2人
契約時年齢：40歳（夫）、40歳（妻）
家賃：20万円
住居部分改装費：500万円

美容室独立開業計画の中、多数の見学で元呉服店を知る。和風スタイルの実現、しかも近居でダブル家賃覚悟だった住まいも可。日頃の直感力で、築41年なりの見栄えにたじろがず即決定。住み心地に合わせたリフォーム三回。いい大工さんのおかげでとても安らかで落ちついた住まいと店舗に。ニスを塗ったり、リサイクル店で家具を見つくろったり、ダイニングに友人たちを招いたり。白い壁と日差しが射しこんでくる屋根裏部屋の寝室はとても賃貸物件とは思えない。

緑に囲まれた窓が沢山ある部屋ならではの快適な休日。

それぞれの理想の部屋 5
IHさん

趣味の道具がひしめく書斎。

こだわりのオーディオで好きな音楽を愉しむ。

IHさんDATA

所在地：東京都杉並区宮前
最寄り駅：JR西荻窪駅 徒歩15分、バス10分
造り：木造モルタル
決めて：四方窓、周囲の環境、収納
面積：44.28㎡
間取り：2LDK
その他：築12年2階建ての2階
家族構成：1人
契約時年齢：39歳
家賃：12万3000円 共益費2000円
前家賃：8万円

東京初暮らしだったので、前の部屋は時間も知識もないまま決めた。東京にも慣れ、理想が見えた。不動産業者7店、見学10物件のねばりがよかった。同敷地内に大家さん、東西南北の壁に窓があり明るい。隣の家は庭が広く樹木が豊か。枝垂れ桜や合歓の花などを借景として楽しむ。収納たっぷりのファミリータイプで、オーディオ、登山、スキー、ダイビング、楽器など趣味のさまざまな道具、そして仕事に必要な多くの書籍を余裕で置ける。明るく使いやすいキッチンで、自炊が増えた。

高いとんがり天井とドイツ製中古家具は温かい食卓の隠し味。

それぞれの理想の部屋 6

KTさん

まいにち使うものだから。

自然暮らしにこだわるKTさん宅ならではのあえて給湯器をつけないシンク。

KTさんDATA
所在地：東京都国立市
最寄り駅：JR国立駅 徒歩10分
造り：木造2階建て
決めて：立地、改装可
面積：土地50㎡
間取り：2LDK ＋ 駐車場
その他：築35年2階建ての1階
家族構成：3人
契約時年齢：44歳（夫）、42歳（妻）
家賃：9万2千円

独身時代から住んでいたお気に入りの住まいが取り壊しとなりネット検索で探したのはなんと元下宿宿だった。かつての名残りある廊下と大きな台所、改装可の条件で即決定する。美術家の夫の仕事部屋、子どもと十分に遊べる居間、寝室、そしてキッチン。三人家族にはちょうどいい大きさだが、手を入れる構想は眠らない。プランターコテッジという異空間でのワークショップが話題のお二人の活動どおり、地球にやさしい、自然の住まいにこだわりつづけるという。

家を借りたくなったら

はじめに

読者のみなさん、本書を手に取っていただきありがとうございます。

私は現在、ネットを通じて一般消費者や法人・投資家向けに不動産・建設・投資のコンサルティングをしています。仕事内容は、おもに購入物件（マンション・戸建）や収益物件の調査や検査、および助言・投資顧問業です。お客さまの半数以上が、一般消費者の方々です。

お客さまに学生時代や若いときに家を借りたときの経験を聞くと、ほとんどの方が「最初に借りたところはひどかった」「いやな体験をした」「敷金が返ってこず、リフォーム代をたくさん請求された」とおっしゃいます。

私自身も、社会人になってはじめて借りたワンルームマンションでは失敗しました。資料によると、南向きのはずか真東向き、閑静なはずが、小田急線の騒音で建物自体が揺れました。また、押し入れがないので、布団はくるくる丸めて、玄関の靴箱に立てかけて収納しました（涙）。

当時は、家を借りることについて、知識も経験もなく、不動産屋さんのなすがまま、言われるがままでした。しかし、お金を払って家を借りる私たちがお客さまであるはずなのに、なぜ、うまくいかないことが多いのでしょうか？　なぜ、気持ちよく、気に入った家に住むことがむずかしいのでしょうか？

本書は、はじめてアパートやマンションを借りたり、いままであまり良い物件に恵まれなかった方に、ぜひ読んでいただきたいと思います。

近年は、家を借りる側にとってものすごい追い風が吹いてきています。それはバブル崩壊後、賃貸物件が大量に建て続けられているにもかかわらず、日本の人口が減少しているからです。とくに若年層の人口はすでに激減しています。つまり、お部屋はつねにあまっている状況なのです。東京さえも（一部の人気エリアをのぞいて）どの沿線でも空室の数が積みあがってきています。

ですから、みなさんは、あせらず、ゆっくり数多くの物件のなかから、ベストな物件を選べばいいだけなのです。

決してむずかしいことではありません。ほんの少しの努力と勇気、そして本書から得られる知恵があれば十分なのです。

それでは、どうぞページを読み進めていってください。本書を読み終えるころには、賃貸物件に関する知恵と知識が、私と同様に備わっているにちがいありません。

二〇〇八年一月　　長谷川　高

目次

良い部屋を紹介されるお客になる！

知っておきたい豆知識

第3章　内見・下見のチェックポイント

内見前の下準備

第1章

「部屋探し」を始める前に

理想の部屋が見つかる時代に

完全な借り手市場の到来

みなさん、やっと家を借りる側にとって良い時代がやってきました。良い時代というよりは、借りる側が「お客さまとして扱っていただける時代」と言っても良いと思います。実に多くの物件のなかから、時間をかけて選ぶことができるようになりました。

なぜ、そんな時代になったかと申しますと、東京の一部の人気エリアをのぞいて、つまり日本のほとんどエリアで、供給（アパート・マンションの数）が需要（借り手の数）を大きく上回ってしまっているからです。いわゆる賃貸市場において、需給バランスが大きく崩れているのです。

私が大学生だったころは（もう20年以上前ですが）、東京でもまだまだ物件自体が少なく、中央線沿線で、単身者向けの部屋を探しても、不動産屋さんから、「今、空いている部屋がないから、建築中のアパートを見て決めてくれ」などと言われたものです。

その後日本はバブルで経済の絶頂期をむかえ、その崩壊後、さらに十数年にわたる経済不況が訪れました。意外なことに、経済の大きな浮き沈みがあったにもかかわらず、賃貸住宅は毎年建設されつづけてきました。

一方、現在は、少子高齢化です。とくに若年層の人口が急激に減ってきています。専門学校や大学の定員割れが起こっているように、単身者向きの住宅も今やほとんどのエリアであまっています。

20年前私が探した中央線沿線でも、現在、検索しますと各駅500戸の空室が表示されます（500戸が表示される上限なのです）。

このように市場では、完全な借り手市場、つまり借り手が有利な状況になっているのです。

みなさんは、最近、敷金ゼロ円、礼金ゼロ円という宣伝文句を見かけませんか？　これは、何か特別な企業努力をしているかとか、ボランティア的な大家さんがいるということではないのです。ただ単純に、部屋が埋まらないのです。敷金や礼金をゼロにしても埋まらないという大家さん側の厳しい状況がそうさせているのです。

ですので、みなさんはこういった大きな時代の変化を知ったうえで、冷静に対処してください。今の時代は、少しの努力と多少の時間をかければ良い物件に出会うチャンスが十分にあるということをまずは知ってください。

部屋探しの基本は、多少の時間と少しの努力

スポーツでも、勉強でも努力した人が努力しない人より良い成績を収めることは、避けがたい事実です。みなさんが理想のお部屋に出会うためにも、少しの努力と多少の時間は確保してください。

部屋を選ぶということは、非常に大事な行為です。

まず経済的側面からみましょう。月8万円の家賃のところへ引っ越すとしましょう。月8万円ということは、年間で96万円の支払いです。また借りる当初に敷金3カ月、礼金1カ月、仲介手数料1カ月払うとなりますと、その合計は、40万円です。最初に40万円を払い、その後毎年約100万円ずつ払っていく買いものなんて他にしたことありますか?

そうです、家を借りるということを何かを買うことにたとえるならば、これは相当高価な買

いものをすることになるのです。ですから、少しでも安く、そして自分の本当に気に入った良いものを買うべきではないですか？　10万円のスーツやワンピースを買うときには慎重に何度も店に足を運びませんか？

また、どこに住むか、どのような部屋に住むかというのもこれも大事なことです。

本書のコラムなどでも触れますが、どこに住むか、どんな部屋に住むかというのは、当然ながらみなさんのライフスタイルや将来の可能性にも直結しています。ですから、理想の場所、理想の部屋というのがあるのであれば、それを実現させてください。今ならそれが実現できます。

それだけ、借り手にとって良い時代がやってきたのです。

またこれだけ多くのお金を支払うのですから、簡単に妥協をしないでください。

少しの努力で良いのです（つまり多くの情報を入手し、たくさんの物件を見て目を養うという努力です）。

それとあせらなくても良いように、早めにスタートして時間に余裕をもって決めてください。

不動産はむずかしくない

よく「不動産はむずかしくてよくわからない」という方がいますが、はたして本当でしょうか？　「どうしてもむずかしくて、自分ではよくわからずに、不動産屋さんに言われるがまま決めてしまう」と。

私が不動産にたずさわっていて感じるのは、不動産のどの部分を指すかにもよりますが、不動産を借りたり買ったりすることは、簡潔でわかりやすいことだと思うのです。学問のレベルでいえば、数学なら中学1年、英語なら中学2年レベルです。助動詞のcanを覚えていますか？「〜することができる」というCanです。あのレベルでいいのです。

業界では、専門用語が飛び交いますが、普段使っている言葉に直せば一般の人でもみな理解できる程度なのです。

みなさんも先入観を持たずに、少しだけ本書で学習してみてください。わからない用語を使う人がいたら、「すみません、それは、どういう意味ですか？」と聞いてみてください。

なんらはずかしいことではありません。みなさんは、いわば、百貨店やブランドショップで

１００万円以上の買いものをする「お客さま」なのですから。納得がいくまで買う（借りる）必要はありません。失礼な店員、強引な店員がもしいたら、その店で買うのをやめて他のお店に行けば良いだけのことです。

まずは本書を一読して、最低限の知識を身につけてください。内容は、むずかしくありませんのでご安心ください。

データが証明する「物件あまり時代」

19ページのグラフでは、１９６３年から２００３年までの物件供給量と需要（総世帯数）を表しています。

２００３年では、供給が約５４００万戸であるのに対し、需要は約４７００万戸。これを一世帯あたりの住宅数で表すと１１４％となります。

世の中にある家の12％は空き家になっているということです。

かといって供給が少なくなることは、いまのところありません。空室過多だろうが、借り手不足だろうが、建てつづけられるのです。

しかも、これから先、さらに少子化が進み、日本の人口は減っていく傾向にあるわけですから、物件はさらに過剰供給となり、さらに全体的には、空室が増加する状態が来ることが予想できます。

巨大大家さん「リート」（不動産投資信託）がもたらす賃貸革命

ところで元来アパートやマンションを建てて、私たちに貸してくれる方、つまり大家さんは、どんな人でしょうか？

一般的には、地主さん、以前から大きな土地を持っている人（農業をやっていた人であるケースが多い）、または自社工場などを閉鎖してマンション経営している中小企業のオーナーなどです。

もちろん、不動産会社を含めた上場企業が遊休地に賃貸マンションを建てる場合もあります。とはいえ多くは、個人や中小企業のオーナー等がこれまでの大家さんの中心でありました。

しかし、１９９７年くらいから、黒船がやってきたのです。いわゆる「不動産ファンド」とか「不動産投資信託」、略して「リート」と呼ばれる存在です。

図1　総住宅数と総世帯数の対比

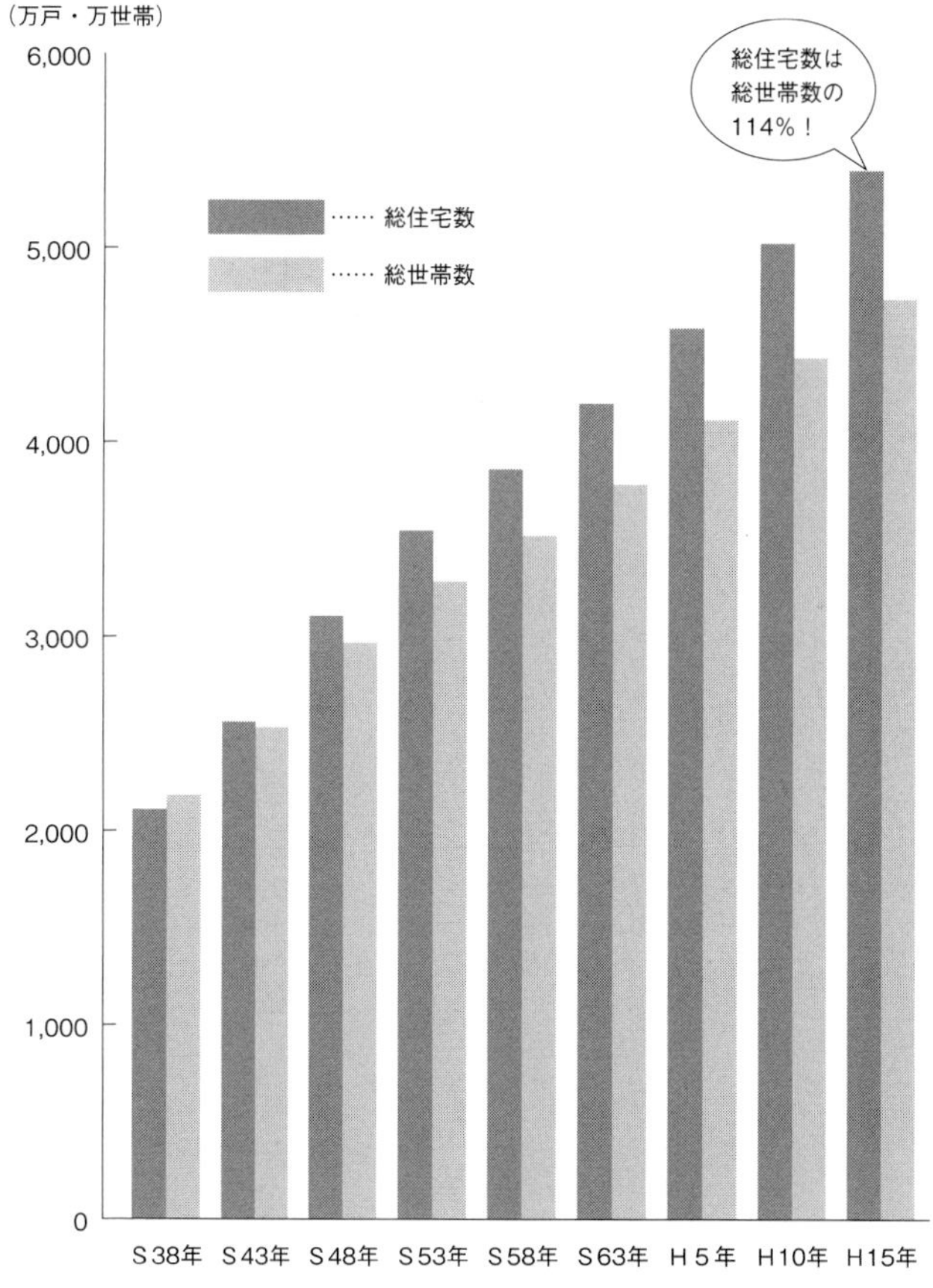

総務庁統計局「住宅・土地統計調査」、
(財)不動産流通近代化センター「2007 不動産業統計表」による。
※昭和53年以降は住宅の所有の関係「不詳」を含む。

ここでいう巨大大家さんは、ビルやマンション、ホテルなどを保有している、個人ではなく、法人（株式会社など）です。こういった会社は、自分の株式を投資家に売って（＝証券化して、その証券を投資家に売って）、そのお金でさらに物件を保有しどんどん巨大化するのです。

リートと呼ばれる巨大大家さんの数は、平成18年度で1600法人にもなりました。その資産の合計は約8兆円。このうち約20％強が、賃貸マンションです。すでに約1・6兆円分のマンション資産をもつ巨大大家さんが誕生しているのです。

この流れからくる影響は大きなものです。彼らはこれまで、東京、大阪、名古屋などの主要な地方都市に、分譲マンションに近い仕様の（ある程度、豪華な）マンションを建設してきました。もちろん、鉄筋（鉄骨）コンクリート造のマンションです。

高級なマンションが建設されることで、賃貸マンション全体のレベルの底上げになるだけではありません。莫大な供給により、リートの供給したマンション間だけでなく、既存の賃貸マンションとの間でも競争が起こります。

つまり、需要と供給のバランスが崩れ、中長期的には、賃貸価格は下がっていくでしょうし、もうすでに下がってきています。どちらにしても、消費者にとっては、レベルの高い物件が増えていき、選択肢が広がるのですから、歓迎すべきことです。

この状況に影響を受けているのが昔ながらの大家さんたちです。優良な物件の供給が増えれば、見劣りのする物件は、当然ながら賃料を下げなくてはなりません。礼金ももう取れなくなるかもしれません。新たに建て替えるときにも、もう仕様を落とした安普請の木造アパートでいいというわけにはいかなくなりました。

就労人口も減ってきている日本では、若年層の人口がものすごい勢いで減少しています。海外からの移民を受け入れないかぎり、需要＝借りたい人は、減り続ける一方なのです（もちろん、東京の一等地の人気は今後も続くと思われますが、あくまでも一部のエリアでのことです）。

賃貸派でもいいじゃないか！

2006年10月に出版した『家を買いたくなったら』（WAVE出版）という本は、これから家を購入したいという方に向けて書いたものです。

「家を買う」のも「家を借りる」にも、それぞれメリット・デメリットがあります。ここでは、「家を借りる」、つまり賃貸派のメリットをお話しします（もちろん、「家を買う」ことのメリットもありますが、ここでは割愛します）。

長い人生、誰しも経済的な浮き沈みが出てくる可能性があります。つまり、上昇気流に乗るときもあれば、逆に暗いトンネルに入ることもあります。

実際に私が多くのお客さまや取引先を見て感じることは、そういった浮き沈みのサイクルが、人生には必ずあるということです。たとえ仕事や事業がうまくいっても、そこで蓄えたお金をすべてつかって、かつ長期のローンを組んで家を買うことは、このサイクルに背《そむ》いているように思うことがあります。

人生のときどきに（経済的およびライフスタイルとして）適した家を、そのつど借りることは、非常に理にかなった選択だと思うのです。

また、長期の住宅ローンを組むということは、ひとつの場所に住み続けることや、ひとつの会社で働き続けるという前提の上に成りたっていると思います。

はたしてみなさんの未来はそうでしょうか？

夢が見つかって、海外や他の地域へ移住することは絶対にありえないと言いきれますか？

仮に事業で成功して、ある時点で経済的に豊かになったとしても、その状態を長期にわたって持続させるのは非常に困難です。ですから、一時的な成功を過信し、大金をつかって身分不相応な家を買うことは、非常に大きなリスクを背負うことになります。

ただし、ほぼ借り入れなしの現金で買えるほど余裕資金があるなら、家を買うことはリスクの非常に低い選択となります。

経済的に上昇気流にあり、ある程度の余裕が生まれたら、自分の好きな地域により広い家を借り、もしもうまくいかなくなったときは、また郊外の小さな家に引っ越しても良いのではないでしょうか?

持ち家は誰しもあこがれますが、「家」にしばられることなく、自分のライフスタイルや人生のサイクルにあわせて家を選んでいくのは、非常に賢明な選択だと思いますが、いかがでしょうか。

相場観を身につける

インターネットで下準備

情報を得るという意味で、インターネットほど役に立つものはありません。もちろん、部屋探しにおいても、これを利用しない手はありません。「引っ越したい」「いい部屋に住みたい」と感じたら、まずは気軽で気楽なインターネットを使ってみましょう。あわてて不動産屋さんに駆けこむ前に、まずは下準備です。

207ページで紹介するサイト、「イサイズ」や「at home」でもかまいませんし、「賃貸」「○○（最寄り駅や地名）」などで検索すれば、地元の不動産屋さんなどのページも出てくるでしょう。

希望するエリア、広さ、設備などの条件を設定して、希望の部屋を検索します。希望の条件を満たす物件が、いくらで貸し出されているのかを見てみましょう。

たとえば、人気エリアで、駅から近く、新築（同様）の部屋は賃料が高いことがわかります。世の中のニーズがここにあるわけです。逆に、駅から遠く、築年数がたっている部屋の賃料が安く設定されていることもわかります。

また、駅からバス利用の物件や1階の物件は、なかなか埋まらないこともわかってきます。しかし、世の中で不人気の物件が必ずしも悪い物件というわけではありません。考えなければならないのは、不人気物件のなかに、あなたの「〜がほしい」と「〜したい」があるかどうかです。

さて、ぼんやりとでも見ていくと、部屋探しの基本条件が整ってくるでしょう。必要最低限の条件、つまり（1）賃料、（2）住みたいエリア、（3）間取り（広さ）です。

ここでこの3つを確定する必要はありませんが、この3つの条件をなんとなくでも決めておけば、その後の進行がとてもスムーズになります。

情報は集めることに意味がある！

インターネットや情報誌などに掲載されている情報は、星の数ほどある部屋のごくごく一部です。

とあるインターネットサイトで都内人気エリア・下北沢（世田谷区）で２Ｋもしくは２ＤＫのマンションを検索してみると、下は8万円台から上は19万円台まで、約１００件の情報が見つかります。

実際にはさらにその数倍の部屋が空室で、あなたが入居する日を待っています。

あせらず、あわてず、「いい物件があったら問い合わせてみてもいいかな」「内見を申し込んでみよう」くらいの軽い気持ちで見に行くことにしましょう。

また、これらの情報のなかには、実際には存在しない部屋が含まれている可能性もあるかもしれません。

わかりやすく言えばインターネットの不動産情報は玉石混交です。石のほうが多いかもしれません。しかし、何度も検索していくうちにエリアの相場感も少しはついてくるでしょう。そして「これは！」と思う物件があれば思い切って見に行ってみましょう。多くの情報を集めることで初めて相場感や石ではなく玉に出会う可能性が出てくるのです。

またどんな時代でも人気エリアの誰もがいいと思う部屋は、早く決まってしまうものです。部屋はある意味「早いもの勝ち」なので、サイトや情報誌で多数の人の目にふれる前に、不動産屋さんを訪れた人が決めてしまうことも、実はよくある話なのです。

まったくウソではないにしても、たとえば東西南北や間取りがあやまっていることもあります。とくにせまい部屋の場合、細かい要素を書き入れにくいため、実物よりもトイレやバスのスペースが大きかったり、小さかったりします。

分譲マンションの間取りとちがい、賃貸物件の間取り図では「現況優先」という文字がどこかに小さく入っているはずです。

つまり実際に訪れてみないとわからないもの。

訪れてみた状態こそが、部屋の真の姿なのです（くわしくは67ページからの「内見・下見のチェックポイント」を読んでください）。

良い部屋を見つけられる人、見つけられない人

あらためて考えてみてください。みなさんは家でどんなことをし、どんな生活を送りたいのでしょうか。

それが実現できる部屋は、どんな部屋なのでしょうか。月々数万円の賃料を支払う価値がある部屋とは、どんな部屋なのでしょうか。

目的さえしっかりしていれば、部屋探しは決してむずかしいものではありません。

断言しておきましょう。みなさんを取りまく賃貸事情が借り手に有利である以上、みなさんが思い描く理想の部屋は、必ず見つかります。

しかし、いくら部屋があふれている時代とはいっても、全員がいい部屋をつかめるわけでもありません。いい空き物件が増えた一方、まだダメな物件もたくさんあります。つまりあなたは、まず玉石混交の情報のなかからいい部屋を選びぬく「見る目」を養わなければならないわけです。

「見る目」というとむずかしく聞こえるかもしれませんが、そんなことはありません。

情報誌やインターネットで得た情報をもとに、できるだけたくさんの部屋に足を運び、多くの選択肢を比較していくうちに、物件を見る目が自然と身につくはずです。

理想の部屋を結果的に見つけられた人は、これを身につけてから部屋を決めています。満足のいく物件が見つけられなかった人は、これを養う前に部屋を決めてしまっているはずです。

個人差はあるでしょうが、同じエリアで10件以上見れば、ある程度の「見る目」が身につけられるでしょう。つまり、最低10件は見るまで部屋を決めてはいけないということなのです。

また、多くの部屋を見ていくうちに、「自分にとってゆずれないもの」の順位が変わることがあります。

たとえば、新築でなければいやだった人が、古い部屋の良さを再認識したり、希望していたエリアを歩いてみたけれど気に入らず、むしろ2〜3離れた駅のほうを居心地よく感じはじめたり……。

つまり、先入観を持ちすぎず、自分の五感を信じて、たくさんの部屋へ足を運ぶことが、いい部屋へたどり着く近道なのです。

第1章 「部屋探し」をはじめる前の心得

「理想の物件は必ずある！」と信じるべし

現在の住宅事情は借り手に優位。家賃や条件など、納得できる物件が必ずあるはずだ。

理想の部屋を頭の中に描いてみるべし

実際に、どんな部屋に住みたいのか、自分にとって「理想の部屋」を思い描いてみよう。

自分にとってゆずれない条件を考えよ

今の住まいに何が足りないか、何が不要かなど、自分の「絶対条件」を探ってみよう。

まずは、家賃の相場観を身につけるべし

実際に不動産屋さんを訪ねる前に、インターネットなどを利用して、家賃の相場を調べよう。

第2章

不動産屋さんを訪ねてみよう

不動産屋さんの見分け方

複数の不動産屋さんとおつきあいする

賃貸生活は、不動産屋さんを訪ねることにはじまり、不動産屋さんに部屋の鍵を返すところで終わります。部屋を探しはじめる瞬間から、退室時まで続くので、部屋を選ぶこともさることながら、不動産屋さんを選ぶことも大切な要素。

では、どんなつきあい方をすれば良いのでしょうか。

まず、たくさん訪れることです。彼らは、実際に契約するまで常に無料でみなさんに情報を提供してくれるありがたい存在です。彼らを情報提供者＝エージェントだと考えましょう。

想像してみてください。ひとりのエージェントしかいない場合、そのエージェントの能力が低ければ、待てど暮らせど、良い部屋は手に入りません。しかし、せめて5、6人のエージェントがいれば、なかには優秀な人がいて、良い物件を持ってきてくれるかもしれません。

物件紹介は無料なので、積極的に利用すべきです。これが失敗を避ける第一のポイントです。

良い不動産屋さん、悪い不動産屋さん

不動産屋さんには、二種類あります。

私たち借り手にとって有益な情報をていねいに提供してくれる不動産屋さんと、大家さんにとって有益である不動産屋さんです。

さて、大家さんにとって有益な不動産屋さんとは、どんなことでしょうか？

かんたんにいえば、何カ月も埋まらない空室を埋めてくれる不動産屋さんのことです。

こういった不動産屋さんには何か特別なテクニックがあるのでしょうか？　いえ、そうではありません。大家さんにとって有益な不動産屋さんの手法は、

・一度来たお客さまを絶対に逃さない
・他の店には行かせない
・その日のうちに契約（捺印）をせまる

といったものです。これを読むと、怖い顔をした人が薄暗い事務所で待ちかまえていて、強引な手法で契約をせまるようなシーンをイメージするかもしれません。

しかし実際はこういった会社は、どこかで聞いたことがあるような社名であったり、かわいいマークが名刺や看板についていたり、会社のイメージキャラクターに有名人を起用していたり、若い熱心そうな営業マンがそろっていたりします。

つまり、入り口では非常にカジュアルな雰囲気を演出しているので、非常にわかりにくいのです。こういった不動産屋さんが、土地勘もなく、あまり情報も持っていない若者を契約に導くのはかんたんなのです。

おそらく、次のような言葉を連発してくるでしょう。

「この物件は非常に人気があって、他に二名の方がすでに契約を検討しています。今日中に契約しないと、おそらくなくなってしまいますよ」

「この物件をこの週末三人の方に案内予定です。おそらくそれで決まるでしょう。もし逃したくないなら、今日中に契約したほうが良いですよ」

「良い物件ほどどんどん決まってしまいます。こんなに良い物件は、明日になるともうなくなっている可能性が高いですよ」

このような営業トークが、時には、真実である場合もあります。しかし、大家さんにとって有益である不動産業者は、基本的に数カ月も埋まらない部屋を埋めようとしているのです。このことを忘れてはなりません。

みなさんは、同じエリアで10〜15件以上の賃貸物件を見て、十分に「見る目」を養った後でなければ、本当に良い物件かどうか判断できるはずがありません。

前記のような言葉が出てきた場合には「あ〜、不動産屋さんのいつものフレーズだな」と、冷静になってください。決してその場で印鑑を押さず、一晩または2〜3日考えてください。

いまはほとんどのエリアで空室の賃貸物件がたくさんあまっています。よほどの人気エリアで特別な物件を探しているわけでもない限り、あせって契約する必要はありません。

不動産屋さんもたくさんあります。契約を強引にその日にさせるようなところは「大家さんにとって有益な不動産屋さんなんだな」という考え方を忘れないことです。

不動産屋さんを見かけで判断してはいけない

できることなら、やさしく、人当たりがよく、みなさんの条件を第一に考えてくれる不動産屋さんに出会いたいもの。しかしながら、不動産屋さんの価値はやはり「物件情報」です。

態度は横柄で無愛想でも、地元では多くの大家さんの信頼を得ていて、優良な物件を数多く持っている。そんな不動産屋さんも存在します。一見パッとしない地味なオジさんが、驚くべき情報量と経験を持ち、あなたの希望する部屋をぴたりと出してくれる場合もあります。

扱っている物件はごくわずか、小さな間口で細々と営業している不動産屋さん。そんなところにみなさんが探し求めていた部屋が眠っているかもしれません。

良い部屋を見つけるためには、不動産屋さんを見た目や雰囲気だけで選んではいけません。ただし、気弱な人なら、言葉たくみに押してくるタイプはさけたほうが良いでしょう。ようは自分の性格にあった人としかつきあわないという割り切りをしても、他から物件情報を得ることができれば良いのです。あの手この手で契約をせまる不動産屋さんも存在しますが、契約するまで軟禁されるなどということはありませんから、はっきりと断る勇気も必要です。

広域タイプの不動産業者におけるメリット・デメリット

ここでいう広域タイプの不動産業者とは、デベロッパーや建設会社などを母体にし、広域に支店展開しているところ、またフランチャイズ形式で広域に展開しているところです。
○大手企業（住友不動産販売、東急リバブル、エイブルなど）
○フランチャイズ企業（三井のリハウス、ピタットハウス、センチュリー21、アパマンショップなど）
これらの不動産業者のメリットは次の3つです。

（1）効率よく探せる
沿線上の情報が集結しており、コンピュータで管理しているため手際よく、必要に応じて系列の支店から情報を取り寄せてくれます。情報量が豊富なので、たくさんの物件のなかから効率よく探せるという利点があります。

また、ターミナル駅に店をかまえ、乗り入れている沿線の物件の仲介業務を中心にしている不動産屋さんも、効率よく探せるという点ではこのタイプに入ります。

（2）安心感がある
しっかりと従業員教育をおこなっているため接客が行きとどいており、しかも有名企業なので社内ルールが画一されていることが多く、総じてモラルが高いというメリットがあります。

（3）サービスに力を入れている

たとえば「仲介手数料0・5カ月分」や、「敷金全額返還」などのサービスがあります。

そもそもこうしたサービス合戦がはじまった背景には、「競争激化」があります。空室物件の過剰度合は言うまでもなく地元企業が中心だった賃貸仲介業界に、売買仲介企業や大手電鉄系、大手デベロッパー系などが参入して競争が激しくなりました。その副産物として借り手であるお客さまサイドに立ったサービスの競争が生まれたわけです。

こういった不動産業者には、落とし穴もあります。大手だから、有名だから「良い物件を扱っている」という先入観を持ってしまうことです。「大手・有名＝優良物件」ではないということを知っておきましょう。

また、いくらサービスが魅力的でも、とにかく契約させようとする強引さを感じた場合（ノルマ制の会社に多くあります）には注意が必要です。物件本来の良し悪しとはまた別問題です。

お宝物件に出会いやすい「地元密着タイプ」の不動産屋さん

一般的にイメージされる、沿線駅前にある不動産屋さんのことです。沿線の駅前一等地に店舗をかまえる老舗店や、狭域（駅、エリア限定）で展開する個人経営店がこれにあたり、大家さんと直結した物件を数多く扱っているケースもあります。

大手業者と比べると物件数は多くありません。また、条件をうまく伝えられなかったり、相場がわかってないと、「そんな部屋はないねえ」と相手にされないこともあるかもしれません。広域タイプが万人向きだとすれば、少し入店しづらいかもしれません。

このタイプの不動産屋さんのメリットは、次の2つです。

（1）融通がききやすい

地元の地主さんとのつきあいが長い可能性が高く、信頼も厚く、いろんな融通をきかせてくれる可能性があります。

営業年数が長いか短いかは、掲げてある不動産免許を見て判断します。不動産屋さんは、2

つ以上の都道府県に支店を持つ場合には大臣免許、一都道府県のみの場合は知事免許を持っていますが、免許番号の（　）が更新回数を表しており、5年ごとの更新を繰り返してその数が増えていきます。数字が大きければ大きいほど、昔からある老舗不動産屋さんということになります。

（2）お宝物件に出会いやすい？

これは、まさに地元密着タイプ最大のメリット。大手の進出で大家さんを引き抜かれているとはいえ、まだまだ、まれに古い地主さんから直接委託されたお宝物件が眠っているケースもあります。「お宝」と思えるようなローカル物件は、インターネットにも情報誌にも載っていません。地域で長く、地主さんともつきあいが長い地元密着型の不動産屋さんを訪れることで出会うことができるかもしれません。

住みたい駅が決まっているのでしたら、その駅にある不動産屋さんはすべてまわるようにしましょう。

地元密着タイプは千差万別です⁉

地元密着タイプのデメリットは、得意とするエリアがせまく限られていること。当然、物件数も限られます。従業員が少ない場合、不在がちだったり、希望する日時に内見できなかったりすることもあります。

また、不動産業者としてのモラルの差が大きいかもしれません。

一方、入居を断られがちな身の上の人の相談にのったり、入居が決まってからも、親身になっていろいろな相談に乗ってくれたりする不動産屋さんもあります。

つまり、当たりはずれが大きいのが、地元密着タイプの特徴です。

広域タイプと地元密着タイプという分け方は、あくまでも大まかなもの。その中間的な業者もありますし、両方に足を運んだほうが、良い部屋と出会える可能性が高くなることはいうまでもありません。

良い部屋を紹介されるお客になる！

ケース別・不動産屋さんとのかけひきのしかた

不動産屋さんでの典型的なやりとりを例に、対応のしかたをマスターしましょう。

■1 「実は、他にも希望者がいるんですよね」と言われたら

あせらせて契約にこぎつけるのは、いまも昔もよく使われる古典的営業スタイルです。

「あなたに優先権がありますけど、今日申し込まれないのなら、次の方に決まりますが、どうします？」という具合。

「いい部屋は早く決まっちゃうよ」というセリフは、耳にタコができるくらいよく聞くトーク

です。

同じエリアで最低10件は内見をすませ、これまで見たなかで一番良い、理想的だという部屋なら、申しこんでも良いかもしれません。「良い部屋が早く決まる」というのはたしかにそのとおりですが、あせりは禁物。他の人に契約されてしまったとしても、良い部屋はまた出てくるものです。

内見も契約も、あくまであなたのペースで進めましょう。少なくとも、4〜5件しか見ていない状態で、契約してしまうことはリスクが高いと言えます。

■2 「この部屋、おすすめですよ」と言われたら

「おすすめ」というのは実にあいまいな表現です。

せまいけれども築年数が浅いわりに賃料が安いから、もあれば、古いけれども広い割に賃料が安いのでおすすめ、ということもあります。

重視すべきは、その「おすすめポイント」が、あなたにとって本当に「おすすめ」かどうかです。こうしたあいまいな営業トークに、素直に反応してはいけません。

あなたが掲げる「〜がほしい」と「〜したい」を満たしていない物件は、比較対象にしないようにしましょう。

■3 「引っ越しはいつまでに？」と入居希望日を聞かれたら

不動産屋さんは、あなたのあせり具合を見ています。

仮に退室日が迫っていたとしても、「良い物件があれば引っ越しますけど、なければ更新します」と答えておきましょう。ただし、たんなる冷やかしと見られると、不動産屋さんも真剣に探してくれません。本気で探しているということが、言葉や態度で伝わるようにしたほうが良いでしょう。

■4 「どこに行っても同じだよ」と引きとめられたら

確かに重複している物件もありますが、どこに行っても同じということはありませんので、優良物件を根気よく探しましょう。

ターミナル駅しかまわっていないのなら、地元密着タイプの不動産屋さんをまわってみる、ネット（207ページ参照）で良さそうな不動産屋さんに問いあわせてみるなど、いくらでも方法はあります。

不動産屋さんを訪ねるときのテクニック

不動産屋さんを訪れる前にはっきりさせておきたいのは、エリア、間取り（広さ）、設備、賃料の基本条件です。

大事なのは、あなたの「〜がほしい」と「〜したい」をはっきりさせること、たとえば「8畳以上のリビングがほしい」「バス・トイレ別。トイレはウォッシュレット」などを明確に、その優先順位もしっかりと伝えましょう。

ただし、最初細かい条件をあげすぎるのは賢明ではありません。絶対条件は、何点かにしぼったほうが良いでしょう。まずは、数多くの物件を見ることが大切です。

賃料に関しては、「8万円から8万5000円まで」など、具体的に考えておきましょう。住居費は収入の三分の一未満におさえると、生活に負荷がかからないといわれます。

手取り年収400万円の人なら月10万円程度、300万円の人なら月8万円程度が家賃の上限ということになります。ただし、これはあくまでも上限だということをお忘れなく。収入が低ければ低いほど、収入の三分の一を家賃にまわしてしまったら、とても余裕のある生活はできませんし、家族の有無によっても違ってきます。

また、「この部分はゆずれますが、ここは絶対にゆずれません」と、条件をはっきりと告げることで、不動産屋さんに「真剣に探している客だ」という印象を与えることにもなります。

不動産屋さんに気に入られるコツ

不動産屋さんとやりとりする際のポイントが2つあります。

(1) 本気であることを示す

前述した「条件をはっきりさせる」ことも大事ですが、「私は本気です」という態度を示すのもポイントです。

本気を示すかんたんなテクニックは「返事を必ず返す」ということです。ファックスかメールで情報が送られてきたら、必ず「いただきました。ありがとうございます。これから検討してみます」というような返事をしましょう。

内見をしてみたけど気にいらない物件に対しては、どこが気にいらないのか、どこが悪いのか、理由を具体的に返します。「まわりの環境は静かで気に入ったけれど、駅から18分でやはり歩いてみて遠かったので15分以内のものを」など、相手が探しだしてくれた情報に対して何らかのレスポンスをしておくと、不動産屋さんは「このお客さんは本気だな」ということで、良い部屋を探し続けてくれます。

（2）「良い借り手」であると思わせる。

借り手が不動産屋さんを選ぶように、不動産屋さんも良い借り手と悪い借り手を見分けなければなりません。まずは不動産屋さんから信用されないことには、良い物件は紹介してもらえません。

その基準となるのが「支払い能力」です。あなたがしなければならないのは、支払い能力を証明することと、家賃の滞納をしたり、部屋を汚したり、近所に迷惑をかけたりしない人間性をアピールすることです。

支払い能力は基本的に、勤務先や仕事の内容、収入の額と安定度によって判断されます。最低でも、自分の仕事内容くらいはきちんと説明できるようにしておきましょう。まちがっても「仕事、つまんないんですよぉ」なんてグチをこぼそうものなら、「すぐに辞めるタイプか？」と勘ぐられてしまいます。

さらに大切なのが、雰囲気です。

人柄は、話し方、言葉づかい、服装などで判断されますので、できればきちっとした身なりで礼儀を持って接するようにしましょう。なかでも言葉づかいは重要です。

身だしなみも整えておいたほうが好印象です。「タバコを買いがてら、寄ってみました」のような汚いかっこうでは、冷やかしと思われてもしかたありません。

また、電話予約を入れたのであれば、遅刻は厳禁。時間にルーズな人は、賃料を滞納する可能性が高いと思われて当然です。

大家さんにしてみれば、賃料を滞納しそうな借り手に入居してもらっても迷惑なだけなので、不安を感じた場合には「審査に通らなかった」という理由で入居を拒否してきます。

借り手＝お客さまではありますが、できれば賃料を滞納せず、共同生活において迷惑をかけない人を選びたいと先方も思っているのです。

不動産屋さんに嫌われるのはどんな人？

悲しいかな、賃貸生活では、フリーターが審査に通りづらいという事実があります。定職についていないということは、定収入が見込めず、経済力に不安があると思われるからです。とくに勤務年数が短いフリーターは「いつ無職、無収入になってもおかしくない」と思われがちです。この場合、まずは安定した経済力を持つ保証人を見つけなくてはなりません。

親が自営業の場合や、定年で無職の場合は、保証会社に頼むと良いでしょう。保証会社とは、賃料の1割から2割を支払うことで連帯保証人になってもらうというシステムで、保証人がいない借り手の強い味方です。もちろん保証会社にも審査はありますが、このサービスは近年急激に普及してきました。

アパートやマンションはコミュニティですので、住民全員が快適に暮らせるということが、その建物の価値となります。大家さんとしては、トラブルのないコミュニティを作りたいわけですから、一般的なライフサイクルで活動している人を優先するわけです。

外国人が敬遠されがちなのも、異文化による習慣の違いや、日本語が通じないことで生じるトラブルを避けるためです。ただし、ひと昔前のように、水商売だから、外国人だからというだけで即お断りという大家さんは減ってきています。

とはいえ空室過多の時代です。

たかが一件断られたところで、他で紹介してくれることもありますので、めげずにあたってみましょう。他にも魅力ある物件はたくさんあるはずです。

不動産屋さんとのおつきあいの5カ条

不動産屋さんとのつきあいのコツを、以下の5カ条にまとめてみました。

（1）複数の不動産屋さんから情報をもらう。絶対に一社だけで物件を決めようとしない。
（2）なるべく不動産屋さんの車に乗らず、自分の足で物件を見に行く。
（3）物件を案内してもらったらその場で別れる。事務所には戻らず自分の足で周辺環境を確認する。
（4）断りの電話は必ずいれる（これは礼儀です）。

（5）必ず複数の候補物件から、これだというものがあっても、一晩以上時間をかけて考え結論を出す。決して物件を見たその日に契約しない。

知っておきたい豆知識

「元付け」「客付け」のしくみを知っておく

いくつもの不動産屋さんでたくさんの物件情報を見ていくと、「あれ？　さっきもこの物件、見たなあ」というものに出くわすかもしれません。目の錯覚ではありません。1つの物件が複数の不動産屋さんで入居者募集しているのです。

いったいどうなっているかを簡単に見てみると、55ページの図のようになっています。

まずは「元付《づ》けと客付《づ》けの図式」の部分を見てください。

チラシの取引態様という欄に「媒介」あるいは「仲介」と書かれている場合はほぼ図2の「客付け」不動産業者です。元になっている不動産屋さんを、業界では「元付け」と呼びます。

大家さんから依頼を受けた元付けの不動産業者は、その物件情報を他の不動産業者にも流します。より多くのチャンネルを使うので、1つの不動産屋さんで募集をかけるよりも効率的というわけです。

たとえば、なかなか借り手を見つけられない場合、他の業者に情報を流すことで早く決めることができます。ただし、この方法を取って、客付けの業者が借り手をつけた場合には、元付けの不動産屋さんに入る仲介手数料は減ります。

また、図2でいうところの、不動産業者と大家さんとの一対一の関係を「専任媒介」と呼びます。

部屋を紹介してもらう際に、たとえば、

(A) 担当者が物件にくわしくない場合
(B) 案内時に他の不動産屋さんから鍵を借りる場合
(C) 物件資料に記されている不動産屋さんの社名や住所等が新たに貼りつけ(張り替え)られている場合

これらは客付けの不動産業者である可能性が高いと考えられます。

また、物件のなかには、サブリース物件と呼ばれるものもあります。

サブリースとは、転貸（また貸し）のこと。つまり、不動産屋さんが建物の一部もしくは全部を借り上げ、それを転貸している物件のことです。

簡単にそのしくみを説明すると、不動産屋さんは大家さんに賃料の9割程度を賃料保証として（部屋が空室になっても保証して）支払い、約1割の差額を収益として得ています。

もちろん、客付け業者であっても元付け業者であってもサブリースであっても、部屋の良し悪しとは関係ありません。ただ、元付け業者と直接交渉したほうが「エアコンをつけてほしい」「ケーブルテレビを引いてほしい」などの注文が比較的通りやすく、また、元付けの不動産屋さんのほうが「礼金2カ月を1・5カ月に」などの交渉がしやすいという傾向はあります。

ターミナル駅などにある広域タイプの不動産屋さんには一般媒介の物件が集められていることが多く、地元密着型の不動産屋さんには、元付け・専任媒介の物件が多い傾向にあります。

店頭にある貼り出し情報のかしこい見方

不動産屋さんの店頭には、たくさんの物件情報が貼り出されています。まずは貼り出されて

図2　大家さん、不動産業者さん、一般客との関係図

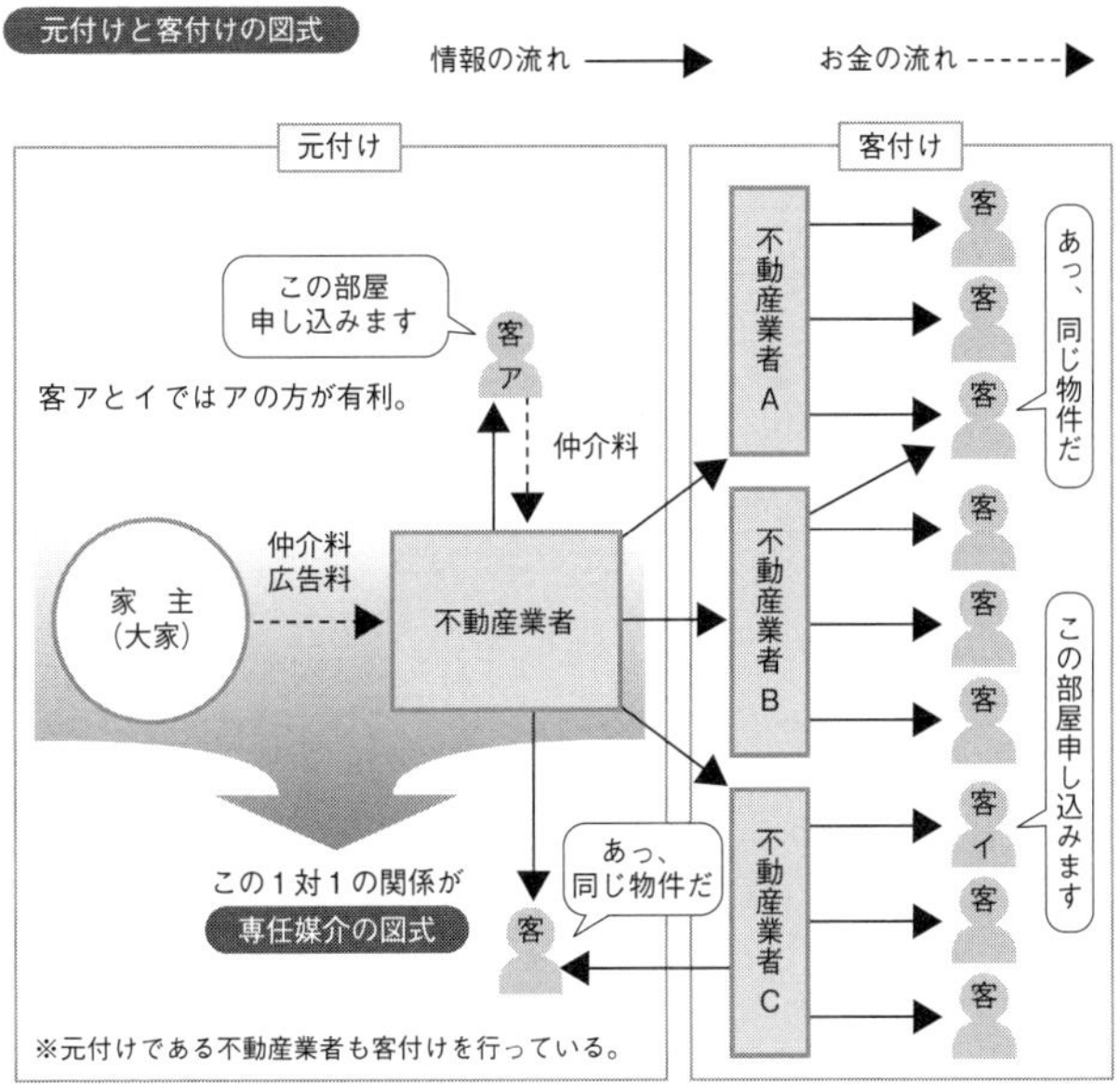

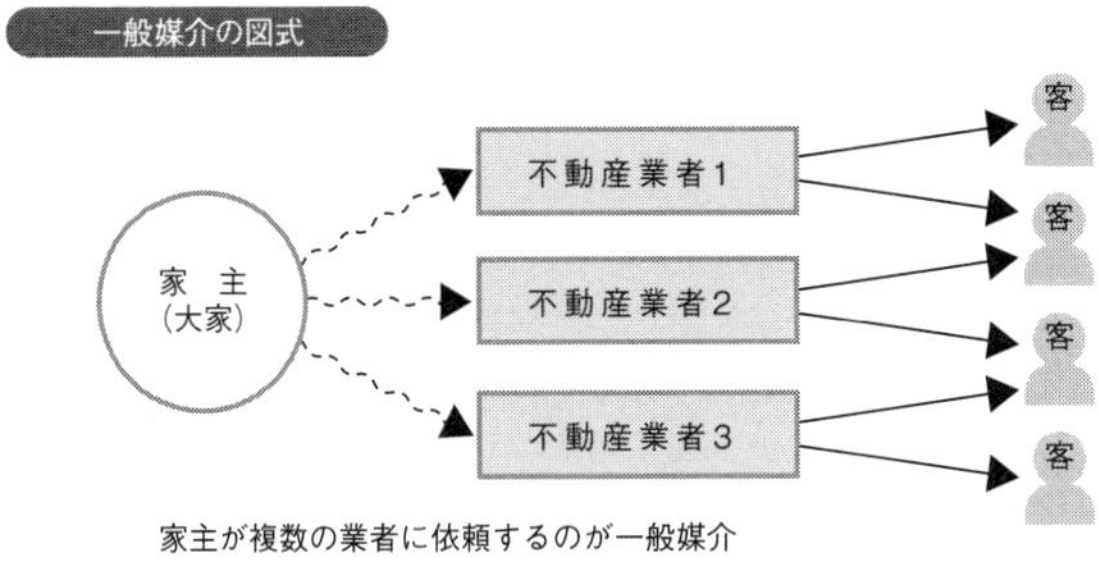

家主が複数の業者に依頼するのが一般媒介

いる情報をチェックして、気に入った部屋があれば入店してみるという人も多いでしょう。

まちがいではありませんが、注意点を2つ。

まず「最新情報は出ていない」可能性もあります。もちろんチラシをつくるのに時間がかかるということもありますが、古いものからなんとかさばいていきたいというのは、スーパーの食品売場で賞味期限の古いものが手前にあるのと同じ理屈です。

そして「本当に良い部屋は貼り出さない」。表に出さなくても決まっていくような物件は、わざわざ貼り出すメリットが薄いからです。貼り出すとしたら「契約済み」としたうえで店頭に出したりもします。

店頭に貼り出されている情報がすべてではありません。不動産屋さんが扱っている物件には、大家さんから管理料や広告宣伝料をもらって直接あずかっている物件と、客付け業者から情報として流れてきた物件があるため、そのなかで、お客さまに好まれそうな物件を選んで貼り出しています。

実際に店内に足を踏みいれて、山ほどある情報をあさってみないことには、良い物件があるかどうかはわからないということをおぼえておきましょう。

写真つきで貼り出されている場合も、あくまで参考程度にとらえておきましょう。

当たり前ですが、もっともきれいで住みやすそうに見える角度から、新しく広く見えるように明るく撮っています。

逆に、写真写りは悪くても、実物は良いということもあります。信じるべきは、あなた自身の目。実際に内見してから、あなたがなにを見て、なにを感じるかです。

部屋探しに最適のシーズンは？

一年を通じて部屋がもっとも数多く空き、情報が豊富なのは、転居シーズンの1月から3月です。とくにワンルームや1K、1DKの単身者向けの部屋は、この時期に集中して出回ります。

また、新築物件が出回るのもこの時期です。大家さんはこの時期の完成をめどに着工するのが一般的だからです。

新学生、新社会人、新築希望者（探している人全体の9〜16％）など、1年間に移動する人の約3分の1がこの時期をねらいます。不動産屋さんにとってはまさにかき入れどき。1つでも多くの契約を決めたい勝負の時期です。とにかく忙しいですから、あなたには強い意思表示が必要になるのです。

とくに2月、3月にさしかかると、行くところ行くところで「早く決めないとなくなりますよ」「とりあえず申込みだけでも」などの営業トークを浴びることになります。今、住んでいる物件の退室日がせまっていれば、ついついあせってしまうのです。

あせらずゆったりかまえるためには、とにかく早目早目に、不動産屋さんをまわりはじめるのがベター。3月に引っ越し予定の場合でも、候補地のエリアを内見しながら歩いておくと、決めるかどうかの判断が早くできるでしょう。また、不動産屋さんと顔見知りになっておけば、先行して良い物件を紹介してくれることもあります。

それ以外では、転勤や新婚入居が多い秋ぐちの9月にも、部屋は比較的出回ります。

これらの繁忙期に引っ越す必要がない人、とくに新築にこだわらない人は、あえてオフシーズン（5～8月、10～12月）をねらってみるという手もあります。

1～4月上旬にかけて売れ残った部屋に関して価格改定がおこなわれる時期は5～8月。賃料の相場も下がってきます。また、不動産屋さんが忙しくないこの時期に探すことで、じっくり時間をかけることができます。

大家さんにとっては、空きっぱなしの物件ほどうらめしいものはありません。賃料の値下げ、礼金や更新料のサービスなどの提案が受け入れられる可能性が高くなるというわけです。

不動産屋さんを訪ねる時間帯は？

不動産屋さんを訪れるベストタイミングは、不動産屋さんのサービスを十分に受けられるかどうかを考えて決めましょう。

たとえば、部屋を紹介してもらったり、詳細を説明してもらったり、大家さんとの交渉役を担ってもらったり、不動産屋さんにお願いすべきことはたくさんあります。せっかく訪れるのですから、他のお客さんがいないときこそねらって、じっくり交渉したいものです。

とくに転居シーズンに引っ越す場合なら、朝イチで予約を入れるようにしましょう。土日に訪れる場合もやはり、朝イチをねらいます。

理想をいえば、平日をねらいたいところです。会社員の人にはむずかしいかもしれませんが、良い物件が探せるのなら、有休を一日使っても良いのではないでしょうか。逆に平日でも、賃貸情報誌の発売日（水曜発売が多い）は多くの借り手候補が訪れるので、混み合います。

地方に引っ越す場合など、泊まりがけで物件探しをする人は、最低でも4、5日かけてください。新しい土地だからこそ周辺環境のチェックにも時間をかけたいところです。1日に5件程度はまわれるよう朝イチから動き回って、相場感と土地勘を養ってください。

不動産屋さんに行きはじめるタイミングは？

さて、不動産屋さんめぐりは、どれくらい前からはじめれば良いのでしょうか？

1カ月前では遅すぎます。良い部屋を見つけたとしても、入居可能日が引っ越し日に間に合わない場合もありますし、時間の余裕がないと、あせって失敗する原因にもなります。

しかし、6カ月前では早すぎます。不動産屋さんは、引っ越す見込みのある人を優先する傾向がありますし、6カ月後に空く物件情報というのはあまり出回っていません。

ということで、3カ月から2カ月前からはじめるのが妥当でしょう。

2カ月あれば、週末は8回。土日のどちらかを物件探しにあて、1日に3件しか見られなかったとしても、24件も回れる計算になります。1カ月半なら18件。ともに、「見る目」を養うのに十分な数です。

アパートとマンション、どうちがう？

不動産屋さんからもらう間取り図には、「アパート」「マンション」などの種別が記されています。そして、マンションはアパートよりもグレードが高く、家賃は高く設定されています。

ところが、マンションとアパートをわける明確な定義は存在しません。つまり、不動産屋さんが「これはマンション」「こっちはアパート」と区別しているのです。

一般的には鉄筋コンクリート造（RC）もしくは鉄骨鉄筋コンクリート造（SRC）のものをマンションと呼びます。

アパートは一般的に、2階建て以下で、木造や鉄骨で造られている建物を指します。マンションとの違いは躯体（建物を支える主要部分）にコンクリートを使っていないことです。

ちなみに建築基準法上、木造では3階までしか建てられません。また、ハイツやコーポのことをアパートだと思っている人もいるようですが、名称につけるもので、○○ハイツ、△△コーポがアパートであることは多いですが、マンションにもつけられている名称です。

その物件は本当にマンションか？

実は木造や鉄骨造でも、マンションとうたっている物件はあります。

ここで問題となるのは、みなさんがマンションに求めるものが果たして「マンション」と銘打たれたものかどうかです。

外観や設備などグレード感という意味では、内見・下見で「見れば」すむことですので、見た目ではわかりにくい防音効果について説明しましょう。

分譲マンションではあり得ませんが、賃貸マンションのなかには、たとえRC造となっていても、お隣との壁がRCでないものがあります。とりわけワンルームや1LDKなどせまい部屋であればその可能性は高くなります。

また、木造や鉄骨であっても、しっかりした防音・断熱効果を持ったブロックや下地ボードに断熱材などを加えたもので仕切られていれば、壁スカスカの「マンション」よりもよほど快適です。

コンクリートは建築材料のなかでもとくにコストのかかる部分。大家さんにとっては少ないに越したことはありません。地震で簡単につぶれては困りますが、防音・断熱が悪いからといって入居率にはさほど影響がないという現実があり、壁を薄くするなど、つい手を抜きがちなのでしょう。借り手にとってはは大きなマイナスとなります。

こうした部屋を避けるための簡単な見分け方はありません。不動産屋さんはおろか、大家さんですら知らない場合もあるからです。

壁を叩いてみる、隣の住民に聞いてみる、マンションのわりには家賃が安いことを疑ってみる、分譲マンションのモデルルームに行って「建物の構造」について勉強してみるなど、複合的に見るしかありません。

ただし、一般的にRC造のほうが防音性が高いということに変わりはありません。

かんじんなのは、チラシや間取りの情報をうのみにしないことです。「建物構造」の欄に鉄筋コンクリート造、RC、SRCと記入されていても、内見してみると音もれを感じることもありますのでご注意を。

Column 1 家を出ることのすすめ

もしも、みなさんがいまご実家にいて、ご家族ととてもうまくいっており、かつ快適な生活を送っていたとしたら、私は、ご実家を出て家を借りひとりで暮らすことをおすすめします。

仮にご実家がみなさんの通勤場所や通学場所に近く便利だったとしても同じです。

また、もしみなさんがご家族とうまくいっていなかったり、仕事や人生に行き詰まっている場合も、やはり、家を出て新しい街で暮らしてみることをおすすめします。

私が初めてひとり暮らしを始めたのは、大学を卒業した後でした。

そのときは、単純に自分の実家が都心の勤務先から若干遠いという理由のみでひとり暮らしを始めましたが、今でも、そのときに始めて非常に良かったと思います。

ひとり暮らしを始めていくつかわかったことがありました。それは、端的に言えば実家や親のありがたみです。

23年生きてきてひとり暮らしをすることにより初めて親のありがたみがわかり、真に感謝をすることができました。

当然ながら、ひとり暮らしをすればすべて自分の給料の範囲内でやりくりをしなければならなくなります。

自分では買ったこともなかったトイレットペーパーや野菜も自ら価格をひとつひとつチ

ェックして買うようになります。

ある意味、すべての事柄において、ゼロからの社会勉強の始まりでした。

そしてもう一点、自分でも驚いたことがあります。

私は、ひとり暮らしを始めるまでは特に用がなければ、当然ながら、自分から誰かに電話をするということはありませんでした。ひとり暮らしを始めて、何の用件もないのに深夜に友人に電話をしました。

理由は単純に寂しかったからです。

そこで、私は大学に入学した時、数多くの同級生たちが地方から東京にやってきてひとり暮らしを始めた頃のことを思い出しました。

当時も、18・19歳での知らない街でのひとり暮らしは大変だろうな~とは思いました。

ですが、本当に自分の身にしみて彼ら・彼女らの本当の不安や寂しさを理解できたのは、自ら経験した後でした。

私がひとり暮らしをして感じたことは、自ら家を借り自分の給料（仕送りやアルバイト代）のなかで暮らしていくということは、まさにそれが、大人になるということであり、身をもって社会の厳しさを知ることでもありました。

同時にその厳しい環境の中に自分を置くことによって人の気持ちの寂しさや痛みや感謝を感じることができるようになれると思うのです。

ですので、私は、もしみなさんがご実家にいて非常に便利で快適であったとしても、逆につらい思いをしているとしても、ただ、みなさんのために実家を出て家を借りて暮らすことをおすすめします。

第2章　不動産屋さんを訪ねるときの心得

不動産屋さんのタイプ、しくみを学ぶべし

広域タイプと地域密着タイプ、客付けと元付けの違いなどを知っておけば、怖いものなし！

不動産屋さんのペースにつられるなかれ

部屋探しはマイペースが基本。相手の言葉につられないよう、強い意志を持って臨もう。

希望条件をしっかり伝えるべし

あなたの部屋探しの条件をきちんと伝えれば、不動産屋さんも本気で部屋を探してくれる。

できるだけたくさんの不動産屋さんを訪ねよ

多くの不動産屋さんに声をかけておくのが部屋探しの鉄則。さあ、迷わずＧＯ！

第3章

内見・下見のチェックポイント

内見前の下準備

まずは地図で周辺環境を調べる

いよいよ本格的な部屋選びについて考えていきましょう。

不動産屋さんを訪れ、紹介された部屋を内見してまわるというのが一般的な部屋探しの流れです。しかし、あまり効率的とはいえません。

まずは複数の不動産屋さんから情報を集め、ある程度しぼり込んでから内見をはじめるのがかしこいやり方です。物件情報はあればあるほどいいものです。気に入りそうな部屋があったらすぐに不動産屋さんに連絡して、ファックスで間取り図を送ってもらいましょう。

さて、間取り図などの資料をもらったら、地図（市販の1万分の1のもの）を用意して、周囲の下調べをしておきましょう。

物件の価値は広さや設備だけでなく、周辺環境もひっくるめて評価しなければなりません。ファックスがなく、不動産屋さんで物件情報をもらう場合は、市販の地図を持参しましょう。ゼンリンの住宅地図は不動産屋さんからもらいます（もちろんファックスで送ってもらうこともできます）。

略図しか用意されない場合でも「ゼンリンの住宅地図のコピーもいただけますか」と要求します。不動産屋さんには必ず置いてあります。略図では、縮尺がいびつだったり、必要な情報が書き込まれていない場合もあるからです。

交通手段や公共施設を確認する

さて、まず駅からの距離です。

物件情報の表示では、駅からの徒歩時間を「1分＝80ｍ」で記しています。たとえば「徒歩5分」なら、駅から道順にそった距離で400ｍになります。

ただし、途中になかなか開かない踏み切りがあったり、なかなか青にならない大通りの信号があったりして、実際には5分以上かかることがあっても、表記は「1分＝80ｍ」で計算されますので注意しましょう。

ちなみに「1分＝80ｍ」は時速4・8ｋｍなので、女性の場合は表示よりも時間がかかるかもしれません。

次に交通手段です。物件によっては、「電車なら下北沢駅が最寄りだが、東北沢駅までも歩けるし、井の頭通りまで歩けばバスがある」など、他の駅や交通手段がある場合もあります。バスが利用できる場合には、時刻表や最終バスの確認もしておきましょう。

車移動が多い人は、ガソリンスタンドの位置も確認します。さらに、一方通行表示にも注意が必要です。一方通行だらけでなかなか家にたどり着けないこともあります。

最後に公共施設です。図書館や郵便局などの位置も地図上で見つけておきます。役所や出張所、幼稚園や学校、交番、病院など、銀行も必要です。

地図やコンパスを持っていく

物件を見に行くときは、周辺の地図を用意して持っていきましょう。その他、方位磁石なども持参することをおすすめします。なぜなら、賃貸物件の資料にある「駅から徒歩○分」「南向き」などといった条件が、残念ながら実際とは異なるものがいまだに多いからです。宅地建物取引業では80mを1分とするというルールがありますが、これが守られていない表示が数多く見受けられます。

前項にも書いたように、徒歩5分と表示されていても、実際歩いてみるとそれ以上かかる物件も存在します。

また、南向きと広告に書いてあったにもかかわらず、自分でコンパス（方位磁石）を置いて調べてみると南西向き、または西向き（つまり午後からしか陽が入らない）といった物件もあります。広告をそのまま信じることなく、コンパスで確認してください。

その他、ノート、ペン、メジャー、カメラ（デジタルカメラ）などは、下見・内見の心強い味方です。

まずはひとりで物件を見に行く

地図を使って下調べをすませたら、さっそく物件を見に行ってみましょう。複数の不動産屋さんから集めた複数の部屋をまとめて見てまわります。

最初はできるだけ不動産屋さんの同行なしで見に行くことをおすすめします。この時点では、内見はまだしません。まわりの環境と建物だけを見ていきます。

不動産屋さんに「これから部屋をまわってみます」といえば、「それではご案内します」となるでしょうが、「まわりを見るだけですから。ひとりで歩いてみたいので」と返しておきましょう。担当してくれる営業マンの名刺をもらっておくことも忘れずに。

不動産屋さんの営業マンと一緒にまわると、断りづらくなるということを覚えておいてください。たとえば4、5件ついてまわってもらうと、「いい加減、この人に悪いかな？ ここらで決めたほうがいいかもしれない……」という気分になるものです。

また、車で送迎してもらうと、周辺環境が把握できません。土地勘のある場所へ引っ越す場合は別ですが、まずはその地域を歩いてみて、周辺環境の様子を把握することが大切です。できる限りひとりで歩いてみましょう。

駅から物件までの往路と復路で、ちがった道を通ることも重要です。時間があればスーパーやお店をのぞいてみるのもいいでしょう。どのような人が周辺に住んでいるのかがよくわかります。

周辺環境をチェックする

物件周辺を歩く際には、以下のポイントを参考にしてください。

〈コンビニやスーパー〉

たとえば、近くにスーパーマーケットやコンビニがあるか、あったとしたらその質はどうか、営業時間は？　その他クリーニング、ビデオレンタルショップ、定食屋、書店など、日々の生活で利用する、あなたにとって大事な場所を見ておきます。

駅まで自転車で通うのであれば、どこに停めるのか、駅前駐輪場の使用料なども確認しておきます。生活パターンを思い浮かべ、リアリティを持ってチェックすることが大切です。

〈建物のまわり〉

間取り図だけではわからない、物件の外観を確認します。

「3階だけど、目の前のマンションが12階建て。日当たりも見晴らしも悪そう」というように、間取り図や地図から想像していたこととのギャップをチェックします。
もし近くに高い建物があれば、登ってその周辺をチェックしてみましょう。駐車場だったところに工事中の建物があったり、地図ではあったはずのスーパーがなくなっていたり、知っておくべき思わぬ発見があるかもしれません。

〈管理の良し悪しから部屋の質を推測する〉

エレベーターや郵便ポストなどの共有スペースがある場合は掃除具合を確認し、植栽の手入れ、敷地に雑草が生えていないか、外階段はさびていないかなど目を配っておきましょう。
良い大家さん、良い管理会社というのは、細かいところまで気を配っているものです。建物の外壁にひび割れがある場合は雨もりの原因になりますし、そもそもこういうリフォームをおこたっているようでは、信頼できる大家さんとはいえません。管理がしっかりしていれば部屋の中身にも期待が持てるし、汚なくずさんであれば、要注意です。

〈ゴミの出し方を見て住民の質を推測する〉

ゴミの出し方ひとつで、住人の意識を見ることができます。

共同住宅はひとつのコミュニティですから、「他人に迷惑をかけないように生活する」というモラルが必要です。しかし、収集日でない日にゴミが置かれていたり、分別もされず散乱していたりするようでは、コミュニティとしてのレベルは低いといえるでしょう。たとえ良い部屋であっても、深夜の騒音にたえるような生活は送りたくないものです。

〈防犯対策〉

エントランスにポストや宅配ロッカーがある場合は、その鍵と防犯性を確認しておきます。オートロック付きのマンションでも、こうした場所から個人情報が流出していくのは同じです。

自転車置き場などの共用スペースがある場合、ある程度視界のいい場所でないと、盗難の被害にあう可能性が高まります。また、屋根の有無や、チェーンをかける柵、出し入れのしやすさもついでに見ておきます。

いざ内見！

内見は、とにかく数をこなすこと

周辺環境などを見てまわり、「これはダメ」という物件を振るい落としたら、あらためて不動産屋さん（担当者）に電話して、お目当ての部屋を内見させてもらうことにします。

これまで3件、4件だけ内見して決めていたという人、最低でも10件。できれば15件、20件は見て回りましょう。10件内見し終えるまでは練習だと思ってください。もし途中で「完璧だ！」と思える物件があった場合、とりあえず申込みをして、さらに続けます。今の世の中、探せば探すほど、いい物件が出てくるものなのです。

内見希望の電話をすると、「鍵は1階の管理人のところです。連絡しておきますから、名前を告げて受け取ってください。見終わったら必ずこちらに電話をください」と言われることもあれば、「担当者を向かわせますので、ちょっと待っていてください」と言われることもあります。「まずはこちらにいらしてください」というケースもあるでしょう。時間と効率を考え、臨機応変に対応しましょう。

ひとりで内見できるのであれば、気がすむまで条件を確認します。営業マンが同行する場合でも気をつかわずに、じっくりと条件を確認しましょう。

内見時に注意したいこと

具体的には、以下の点に注意しながら見ていきます。

〈家具のレイアウト後をイメージする〉

広さを検討するうえで大切なのは、第一印象にまどわされないことです。内見では1DKでもかなり広く見えます。家具が入っていないのですから当たり前です。

ベッド、冷蔵庫、洗濯機、テーブルなどかさばるものがレイアウトされた状態を、できるだけリアルにイメージしてみましょう。

家具によってデッドスペースとなる部分を差し引き、残ったスペースがあなたの生活スペースです。案外、せまい感じはしませんか？

とくに冷蔵庫や本棚など、高さのある家具は圧迫感が増しますし、天井が全体的に低い場合、屋根の形状などによって天井が勾配している場合はなおさら窮屈になります。こうした情報は、間取り図にはのっていません。間取り図はあくまで参考資料であり、あなたが自分の目で確かめたものが本来の姿であることを忘れないでください。

さらにキッチンやバスルームなどでは、実際にそこで生活しているかのように動き回ってみましょう。たとえば手や腕がぶつかるなど動きにくい配置になっている場合は、生活するために必要なスペース（生活動線）上に障害物があるということになります。

平均的な間取りと広さは、１Ｋで約20㎡〜25㎡、２ＤＫで40㎡〜45㎡、３ＤＫで50㎡〜55㎡です。

〈広さ・せまさを決める「収納力」〉

次に収納力です。せまい日本の住宅においては、収納こそが居室を広げてくれる重要なスペースです。多ければ多いほど、広ければ広いほど良いといえるでしょう。

図３　一般的な広さ別の間取り

ワンルーム

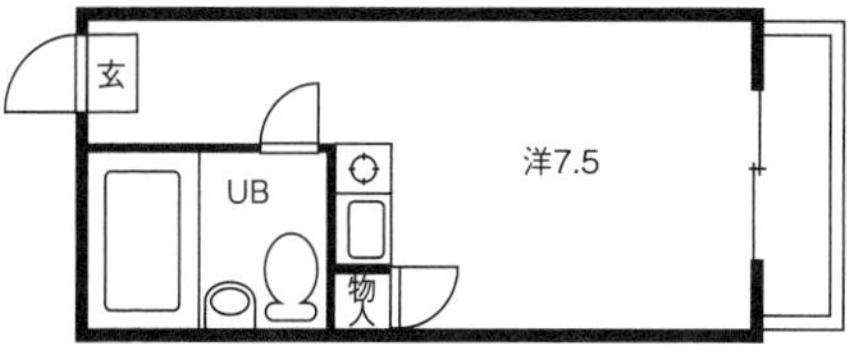

専有面積が17㎡以下だとかなりきゅうくつ。収納もほとんどない。キッチンはなく、まともな料理はできない。

1K

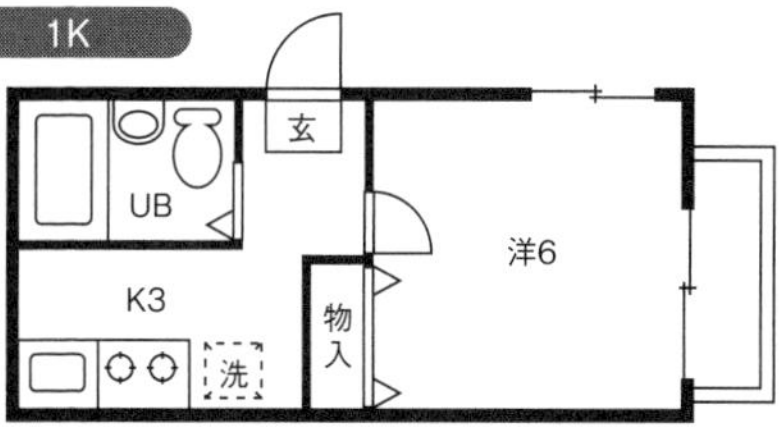

1Kとワンルームの違いは、キッチンと居室が区切られているかどうか。20㎡以下だとかなりきゅうくつ。この部屋の場合、洗濯機を室内に置きたいがためにむりやりキッチンのとなりに……。

2DK

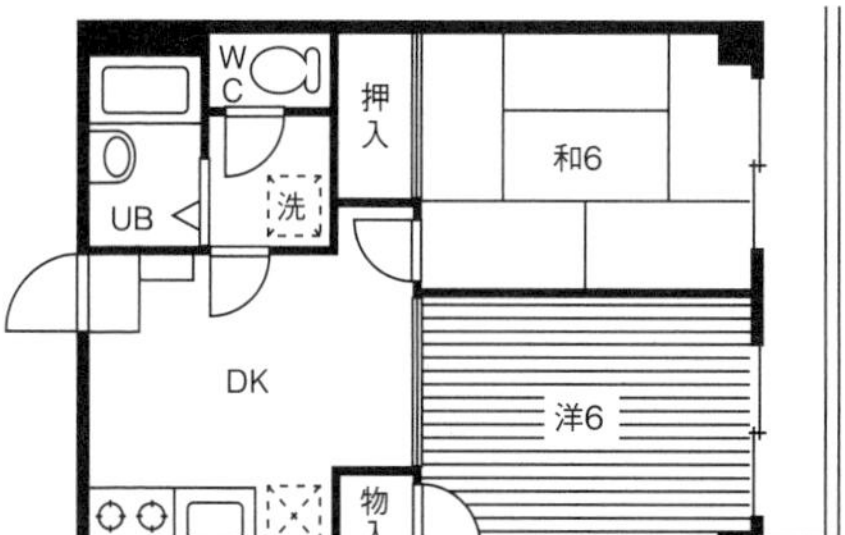

間取りにもよるが、2Kなら35㎡、2DKなら40㎡はほしいところ。
この部屋の場合、DKと呼ぶには無理のある広さ。洋6に横線があるのはフローリングの印だが、もと和室だった可能性が高い。下の階へ音が響かないかが心配。

クローゼットは50センチから60センチの奥行きしかない場合が多いので、そこにすべての衣服をつるすことができるかを検討しなければなりません。はみ出た分だけ居室がせまくなります。衣服が多い人は、ウォークイン・クローゼットやサービスルームがある物件、ロフトタイプを検討するといいでしょう。

押し入れは、天袋の有無によって収納力が変わります。出し入れが面倒なので日常的な使用には向いていませんが、季節用品などを収納しておくのに非常に便利です。

ちなみに押し入れは二段式が多いので、洋服をかける場合は高さを確認しておきましょう。もし押し入れしかない場合は、ロングコートを折り曲げて収納することになりかねません。

その他バスルームやトイレまわりの収納も大切です。トイレットペーパー、洗剤、バスマット、バスタオルなど、バス・トイレまわりのものはなにかとかさばるものが多いのです。

玄関収納では、ブーツなど高さのある靴が入るかどうかも確認します。

〈日当たりの良さは部屋の大きな財産になる〉

日当たりが良い部屋は、いろいろな意味において快適な部屋です。コンパスで南の方向を調べ、窓の大きさと日当たりを調べましょう。

図4　間取図を見るときのポイント

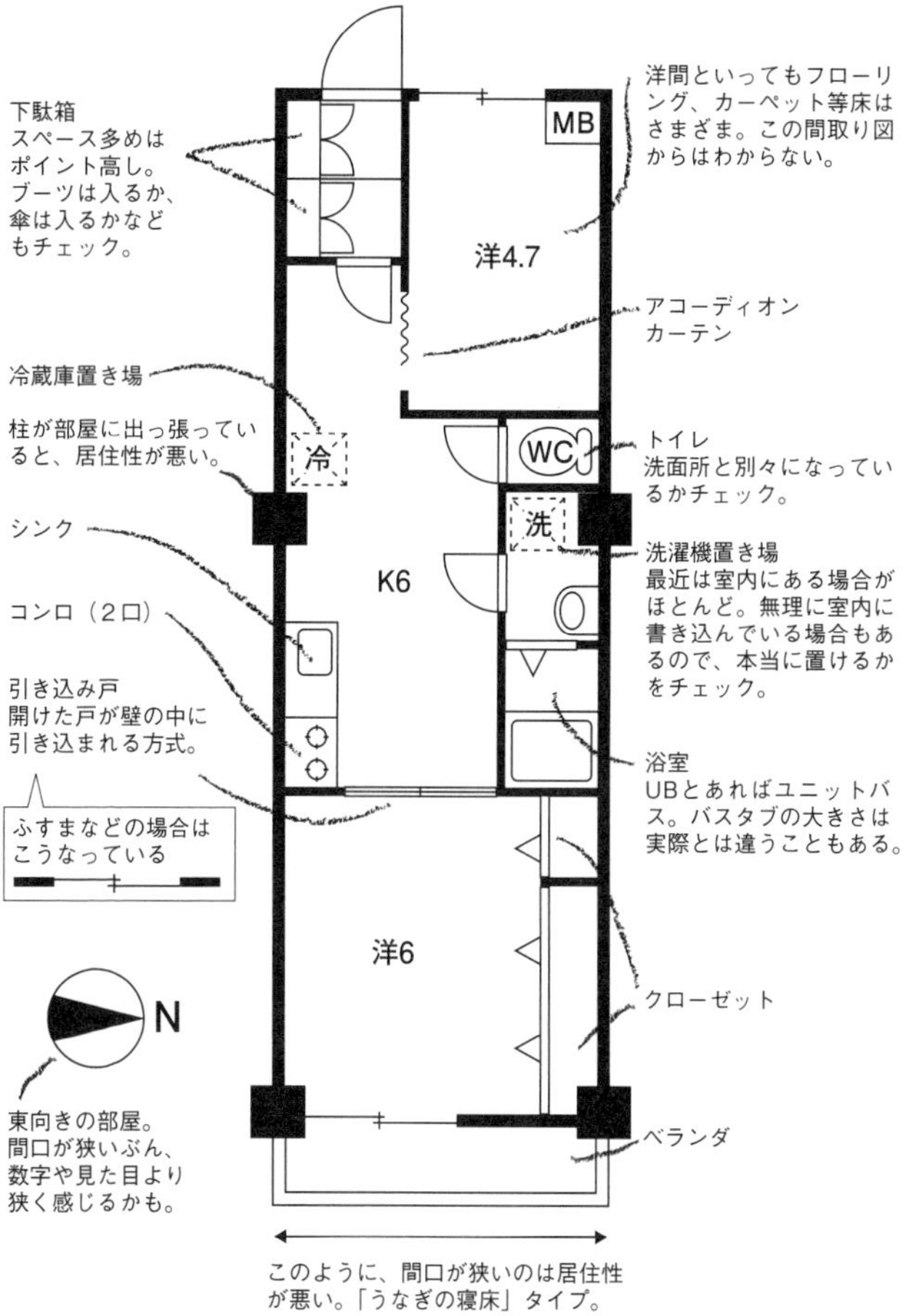
下駄箱
スペース多めはポイント高し。ブーツは入るか、傘は入るかなどもチェック。
MB
洋4.7
洋間といってもフローリング、カーペット等床はさまざま。この間取り図からはわからない。
アコーディオンカーテン
冷蔵庫置き場
柱が部屋に出っ張っていると、居住性が悪い。
冷
WC
トイレ
洗面所と別々になっているかチェック。
洗
洗濯機置き場
最近は室内にある場合がほとんど。無理に室内に書き込んでいる場合もあるので、本当に置けるかをチェック。
シンク
K6
コンロ（2口）
引き込み戸
開けた戸が壁の中に引き込まれる方式。
ふすまなどの場合はこうなっている
浴室
UBとあればユニットバス。バスタブの大きさは実際とは違うこともある。
洋6
N
クローゼット
東向きの部屋。間口が狭いぶん、数字や見た目より狭く感じるかも。
ベランダ
このように、間口が狭いのは居住性が悪い。「うなぎの寝床」タイプ。

コンパスは、文具店や雑貨店で売っている数百円のもので十分ですので、必ず持参しましょう。間取り図に書かれている方位が正しいとは限りません。東南東（ほとんど東）であっても、西南西（ほとんど西）であっても、「南向き」とされることもあります。

たとえ南向きでも、日光が大きな建物にさえぎられている場合もあります。「日当たり良好」と広告されていても、「日当たり良好……な時間帯もある」という意味だったりもします。

日当たりが悪ければ洗濯物はかわきませんし、部屋はジメジメしてカビが生えやすくなります。冬は寒く、電気代がかかりますし、気分も沈みます。

長方形の部屋でも、サンルーム（日光を取り入れるためにガラス張りにした屋根）や角部屋で側面に出窓があれば、それだけ明るく広々とした感じになります。

細長い間取りの部屋は、角部屋かどうか、側面に開けられる窓があり通気性・換気性があるかどうかが大事なポイントです。ちなみに、CSのパラボラアンテナを設置する場合も、見通しのいい南向き（南南西）でないと受信できません。

また、新築物件の場合、新しい壁には水分が多いため、カビが生えやすくなります。また、コンクリート材を使っているマンションも、湿気がこもりやすくなりますので、カビが生えやすくなります。とくにコンクリート打ちっ放しの部屋では、通気性が良くないとカビに悩まされることになりがちです。

風通しの良さは窓の大きさと数、換気口の数と大きさ、方角で決まります。窓の近くに立ってみて、風の入りを感じてみましょう。風通しの良さは、換気ができるだけでなく、夏場の冷却効果もあります。ちなみに採光も風通しも、1階よりも2階、3階よりも4階と、上に行くほどよくなります。賃料も基本的に、1階よりも2階、3階よりも4階と、上に行くほど高くなります。

また、大きな家具を持ち込む場合には、レイアウトを考え、ふさがざるを得ない窓があるかどうかも確認しておきましょう。

〈騒音の危険因子もしっかりチェック〉

次に静けさです。とくに駅近の部屋を選ぶ人、近くに学校がある部屋を選ぶ人、公園のそばの部屋を選ぶ人は注意が必要です。騒々しい部屋では、なかなかくつろぐこともできません。まずは耳を澄ませてみてください。電車の音、町の音が聞こえてきませんか？　隣人の声や上の住人の足音が聞こえてきませんか？

壁、天井、ドアにある程度の厚みがあり、窓のサッシが防音仕様（二重サッシなど）になっていれば、防音効果が期待できます。

床がフローリングの場合、歩くだけできしむような薄い板には防音効果はありません。実際、遮音性にすぐれたフローリング材や二重床構造をとっていない建物では、騒音のトラブルが多いのです。

フローリングよりも絨毯のほうが防音性に優れていますが、やはり薄っぺらの絨毯では意味がありません。ちなみに賃貸仕様でも防音に優れているのはクッションフロアー（塩化ビニール製の防音施工）で、キッチン、バスルームなどの水まわりによく使われる素材です。

また、騒音で考えなければならないのが隣人です。生活するうえで無音ということはありえませんので、静けさのレベルは隣人によって決まるといってもいいでしょう。

たとえば隣の部屋の前に三輪車などがあれば、それは「わんぱくな子どもがいます」というサインです。

騒音マナーやモラルの問題は、大家さんや不動産屋さんにいっても解決しづらいので、あなたの観察力に頼るしかありません。表札などから隣人像が判別できないようであれば、実際に訪ねてみましょう。

〈泥棒にねらわれにくい部屋かどうか〉

賃貸生活者のアンケートによれば、現住居の不満点のトップは「防犯設備」で、約7割にのぼっています。

また、2002年の侵入盗は約33万8000件で、1日に1000件の割合で泥棒が入っている計算になります。これは認知件数（警察が事件として捜査している件数）なので、実際にはさらに多いことになります。

いままで被害にあったことがないというみなさん、そろそろみなさんの番かもしれません。そんなみなさんの安全を左右するのが、玄関と窓です。

玄関側の安全対策となるのは、テレビモニターつきのインターホンです。最近、普及率が上がっている設備のひとつで、これさえあれば「知らない人が来ても開けない」という防衛が可能です。また、ピッキング防止に力を発揮するダブルロック（鍵が2ついているドア）や、人の気配を感知して自動的に点灯するオートライトも設置率が伸びています。とくに女性のひとり暮らしの場合、防犯対策のしっかりした物件をおすすめします。

次に窓です。1階に住む場合には、泥棒の進入経路があるかを調べましょう。2階以上に住む場合は、ベランダまで登ってこられる排水パイプ、足場になりそうな物置などがないかを調べます。「日本は安全」という神話はもう通用しません。あなたの安全はあなた自身で守るしかない、ということを覚えておいてください。

結論をいってしまえば、「絶対に泥棒に入られない物件」というのはありません。だからこそ、防犯設備はあればあるほど安心です。

泥棒は、手間がかかる家を嫌います。鍵が2つついている、窓ガラスが割れにくい針金入りでできているだけでも、泥棒にとってはいやな条件です。また、泥棒は人目につくことと音を嫌いますので、ライトやアラームも有効な対策になります。

ちなみに、周囲の目につきにくい内廊下のマンションよりも、外廊下のほうが人目につくので安全といえます。

また、一般的には入りやすく逃げやすい1階は泥棒にねらわれやすいといわれていますが、3階4階の部屋は人目につかないため、泥棒が仕事をしやすいという面もあります。

目からウロコの内見チェックポイント

内見時には気づきにくいけれど、意外な大事なチェックポイントをいくつか紹介します。

（1）うなぎの寝床より、間口の広い部屋を選ぶ

間取りにはたくさんの種類がありますが、たとえば同じ30㎡の物件であっても、一般的にうなぎの寝床といわれるような奥に長い物件よりも、間口の広い正方形に近い物件のほうが明らかに広く感じるものです。間口がせまい物件は間口の広い物件に比べ、あきらかに圧迫感があり、居住性も劣ります。

（2）天井の高さをチェックする

たとえば、天井の高さが2・4mと2・6mの部屋があるとします。広さが同じだったとしても、高さが20㎝違うだけで、驚くほど部屋が広く感じられるものです。最近、分譲タイプのマンションには天井の高い物件が多く出てきています。

（3）すべての窓を開けてみる

実際に部屋に入ったら、すべての窓を開けて外を見てみましょう。目の前に大きなビルやマンション（建設中も含む）があれば、日当たりの悪さを危惧すべきです。向かいの建物の窓が

こちらに向いているなら、お互い窓を開けたときに目が合ってしまうなど、プライバシー上の問題が発生することがあります。気になる人にとっては、誰かにのぞかれているという思いで暮らさなくてはならないかもしれません。

「格安物件」にありがちな落とし穴

たとえば、駅から近く、建物がきれいで日当たりの良い物件があり、周辺相場よりも数万円安かったとします。「おすすめ」「格安」の物件です。そんなときにはまず疑ってみましょう。もしかしたら近くに鉄塔が建っていて、四六時中電磁波を浴びながら暮らすことになるかもしれません。1階が飲食店の場合は、臭いの問題やゴキブリやネズミの問題も起こりやすくなります。目の前の通りが車の抜け道で、早朝や夕方に相当な交通量があるのかもしれません。裏が畑で堆肥の臭いや砂ぼこりが飛んでくるのかもしれません。

隣に大きなビルが建設中で、日当たりが悪くなる予定なのかもしれません。

また、いわゆる「いわくつき」ということもあります。前住人が自殺した、何か事件があったなどの部屋も実際に存在します。

図5　間口の広さが快適性を左右する

AとBはどちらも2DK、平米数もほぼ同じ物件。うなぎの寝床のように細長いBよりも、Aのように正方形に近い物件のほうが広く感じ、さらに採光や動線などにも優れているため、居住性がよい。

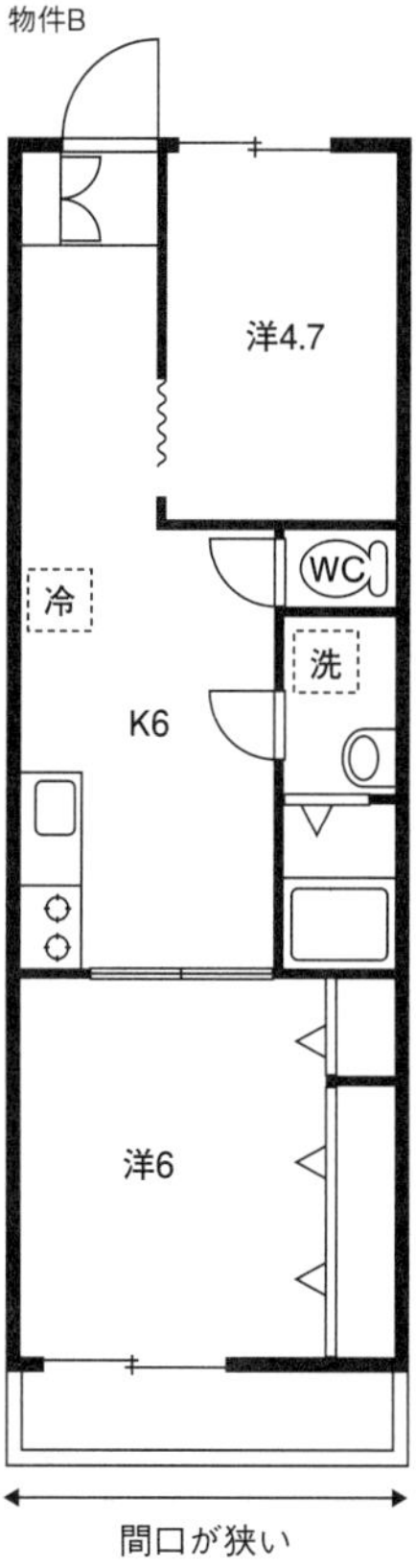

「そんなことは全然気にならない」という人にとってはまさにお得な掘り出し物かもしれませんが、こうした重要事項については不動産屋さんが説明する義務を負っています。しかし、「聞かれなかったら言う必要がない」と判断している不動産屋さんが存在するのも事実です。

まずは不動産屋さんに安い理由を聞いてみましょう。できれば、部屋の隣人や近所の住民に聞いてみるのが確実です。

見落とし注意のチェックポイント

生活の快適さは建物の設備・構造で決まる

蚊が大量に出る。携帯がつながらない。シャワーの水圧が弱い。

なんか寒い、なんかうるさい、なんか臭う。

こんな些細なことによって、あなたのストレスは積もり積もっていきます。実はこうした問題の原因は、建物の設備や構造によるものです。部屋の快適さを決めるのは、間取りや設備だけではありません。いくら部屋の価値が高くても、建物の造りが安っぽかったり、管理が行き届いていなかったりする物件はたくさんあります。

部屋の良し悪しに目を光らせるのと同様、建物の設備や構造についても、しっかりチェックしていきましょう。

〈洗濯機の置き場所やガス〉

まずは、洗濯機の置き場所と大きさです。

物件によって異なりますが、洗濯機置き場は、室内の防水パン（排水口を持つ洗濯機を置く皿）の上か、ベランダなどの室外になります。洗濯機を持ち込む場合は、メジャーで防水パンの大きさを確認しておかないと、買い直すはめになりかねません。

室外に置く場合は、洗濯機が傷みやすいということと、音の問題から、使える時間が限られるというマイナスを受け入れられるかどうかを考えます。

ガスヒーターやガス台などを持ち込む場合は、都市ガスかプロパンガスか確認しておかないと、やはり買い直すことになってしまいます。

その他、冷蔵庫置き場の広さ、シンクの高さ、ベッドルームの広さ、収納スペースの使いやすさも、非常に大切なポイントです。間取り図では描かれていない「でっぱり」や柱がある場合もあるので、ベッドや本棚など、大きいサイズのものを配置する際には、メジャーでしっかり寸法を測り、書き取っておきましょう。

〈意外に大事なコンセント〉

さて、あなたはどこにテレビを置き、どこにソファを置くのでしょうか。テレビを置こうとしているその近辺に、アンテナ線やコンセントはありますか？

古い物件ほどコンセントの数は少ないもの。使用電力の総和がコンセント・テーブルタップの許容量を超えなければ問題はありませんが、超えてしまうようであれば最悪の場合、コードが燃えてしまうことも起こり得ます。計算したうえで使うか、コンセントを大家さんに増設してもらえるかを考えておきましょう。

電話を置くその近くに端子はありますか？　もしなければ、アンテナ線があるところにテレビを置き、端子があるところに電話を置くことになります。パソコンがある場合にはその両方が必要になるでしょう。コードを別な部屋に引っ張っていく手もありますが、ドアを閉めることができなくなるかもしれません。

実は、家具のレイアウトというのは、こうしたコンセント類などによってある程度限られてしまうものなのです。

〈シャワーの水圧〉

シャワーやシンクの水圧も確認しておきましょう。

とくに築年数のたった部屋の場合、シャワーの水圧が低いというケースもときどきあります。冬の寒い日や急いで浴びたいときに耐えられるかどうかを考慮にいれます。古い物件ですと、まれに水圧と蛇口の関係で全自動洗濯機が使えないということもあり得ますので、水圧が低い場合には確認をしましょう。

また部屋によっては携帯電話の電波の入りが悪いところもあります。こうした些細なことも生活の快適度が大きく変わります。

〈自分で準備するものはあるか〉

自分で用意しなければならない備品についてもメモしておきます。

借り手が負担するのは主に消耗品で、カーテンレール、インターホンや換気扇の電池、電球、蛍光灯などです。

前の住人が使い残した消耗品があれば、そのまま使って構いませんが、買い替えは借り手負担になります。

〈排水管や押し入れの奥も大事〉

建物そのものの構造についてもチェックしていきます。

部屋に入った際、嫌な臭いがしませんでしたか？　下水のような臭いを感じたのであれば、キッチンのシンク、バスルームの排水溝、洗濯機置き場の排水溝を疑ってみましょう。

集合住宅では、シンクや排水溝の管にトラップという水が溜まる部分を設け、下水臭や虫が室内に入り込むのを防いでいます。が、古い物件、手入れが行き届いていない物件では、この部分が詰まっていることも多くあります。臭う場合は不動産屋さんにいって排水管を掃除、もしくは交換してもらいましょう。

排水の不備は、悪臭の原因となるばかりでなく、不衛生です。建物全体の排水設備そのものに問題がある場合は、部屋の外でも同じ臭いがします。雨の日のたびに悪臭が洗濯機やバスルームの排水溝をのぼってくるでしょう。

なんだかカビくさい。そんな時には押し入れの奥を見てみましょう。

変なシミが残っていませんか。また壁のクロスの端が少し浮いてないでしょうか。湿気のこもる部屋かもしれません。

臭いがかすかであっても「まあいいか」ですませるとあとで痛い目にあいかねません。あなたが内見する部屋は、室内クリーニングがしっかりと行なわれ、悪臭は押さえこまれているからです。その場に長くいるとわからなくなってしまうので、部屋に入った瞬間に確認しておきましょう。

〈窓やドアのたてつけ、ベランダまわり〉

次に、窓、ドア、扉のたてつけです。窓やらドアやらが開けづらい、閉めづらいというのは問題外です。直してもらうか、直らないようであれば別の物件を探したほうがいいでしょう。ゆがんだ家ほど危険なものはありません。日本は地震が多い国ですから、グラグラッときたときにはペチャンコになってしまうかもしれません。

ベランダがある場合は、広さも重要な確認ポイントです。布団も洗濯物も干せないようなベランダは、生活するうえで非常に不便です。

物干し竿をかけるフックがない場合は、バスルームのランドリーパイプ（天井につけられている洗濯物干し）を使って干すか、それもなければ自分で取りつけることになります。

また、ベランダの排水溝が詰まっている場合は、入居までに掃除してもらいましょう。

周囲に建物がある場合には、見通しが良すぎないかも確認しておきます。周囲から丸見えの場合は、ずっとカーテンを閉めていなければなりません。

エアコンが備えつけでない場合は、室外機を置くスペースが必要になり、壁にクーラースリーブ〈ホースを通す穴〉がないと取りつけもできません。

2階以上の場合は、避難ハッチがあるかも確かめます。あるかどうか確かめるということは、開けてみて使えるかどうかを確認するということです。

建物の住人に聞き込み調査！

良い物件だと思って契約して、いざ実際に住んでみたら……。壁が薄くて隣の人の声やテレビの音がつつぬけだったり、上階の住人の歩く音がどんどん響いたりという騒音部屋だったという場合も、少なくありません。

たしかに、物件を内見しただけでは、こういったことまでわかりません。

さて、これをどうやって防ぐのでしょうか？

ちょっと勇気のいることですが、同じ建物に住んでいる人に、直接聞いてみてください。

「あの、ちょっとすみません。私○○から来ました、長谷川と申します。このアパートに越したいと思っているのですが、お聞きしたいことがありまして……」

インターホン越しでもいいですから、住人に聞いてみましょう。

「住んでみて何か問題はありませんか？」

ていねいに自分の名前を名乗っておけば、ほとんどの人がいろいろと教えてくれます。

女性ひとりで心配なら、家族や恋人に同行してもらってもいいでしょう。

住みはじめてから問題がわかって、我慢して数年間暮らすよりも、勇気を出して聞いてみてください。私の友人は、学生時代、隣にどんな人が住んでいるか不安で、隣の部屋のインターホンを鳴らし、実際に会ってたしかめてから契約していました。

昼と夜、平日と休日でガラリと変わる周辺環境

昼と夜の周辺環境が、ガラリと変わってしまう物件もあります。

昼間に行ったときには「閑静で落ち着いた場所」という印象を持ったとしても、終電に近い時間に駅から歩いてみると、非常に寂しい（人気のない）道を通って帰宅しなければならないということもよくあります。

つまり、駅から候補物件までの道のりを、昼と夜に自分の足で歩いて環境を確かめることが大切です。とくに女性にとっては大きなポイントです。

平日と休日とで、環境が大きく変わる物件もあります。休日に行ったときは非常に静かで車の通りも少ないと思った物件が、いざ平日になるとひっきりなしに目の前をトラックなどが通るということもあります。目の前の道路が抜け道になっている、休日は営業していない配送センターが近くにあり、平日はたくさんの車が往来するというような道沿いに建っているというケースがあるのです。

また、平日のみ操業している工場等がある場合も同じです。よって、日曜日と平日の二度、物件を見に行き周辺環境を確認する必要があります。このとき、一万分の一程度の地図を持っていけば、周辺施設を確認し、実際に見に行くこともできます。

あなたの「良い部屋」エリア

実際にたくさんの不動産屋さんまわり、内見を繰り返しても、本当に良い掘り出し物、お宝物件出会えることはなかなかなかありません。

なぜなら、そういった物件はやはり絶対数が少なく、一度住んだ人は長く住み、明らかに好条件であればそのときどきの適正な家賃に調整されて、再び市場に出てくるというのが世の常なのです。

ここでは掘り出し物の探し方ではなく、より現実的に自分の理想に近い物件を探すにはどうしたら良いのか？　さらに、失敗しないための究極の物件調査方法をお伝えします。

自由が丘や代官山で、安く住むためには

みなさんが、東京の自由が丘や代官山という誰もが知っている人気エリアで、安い賃料で、広く新しい部屋を探しているならば、それは限りなく不可能に近いでしょう。すべてにおいて100点満点の物件は、当然ながら非常に高い家賃が設定されています。

ですから、一般的には限られた予算で妥当な物件を探さなければならないのです。この場合条件を大きく下げてみるのもひとつの手です。

私はかつて広尾や麻布という、非常に賃料の高いエリアで物件を探したことがあります。ある理由があって、どうしても当時こうしたエリアに住みたかったのです。

このとき、築年数に目をつぶれば、つまり、築30年を超えるような古い物件であれば、どうにか自分の望みをかなえることができることがわかりました。当時の私にとっては、たとえ建物の老朽化が激しくとも、仕事上そのエリアに住み、事務所兼自宅を借りる必要があったのです。

もし人気エリアに住みたいのであれば、あえて古い物件を探すことで、家賃をグッと下げる

ことができます。

また、当然ながら、駅から徒歩15分以上の物件の賃料は安くなります。築年数だけでなく、駅からの距離に目をつぶれるのであれば、理想のエリアに住むこともできるかもしれません。

「お宝エリア」はどこにある？

当然ながら非常に家賃が高い、たとえば東京では自由が丘、恵比寿、代官山といった人気エリアは、物件数に対して借りたい人も多く、良い条件の物件に出会うのはなかなかむずかしいでしょう。

ただ、職場や学校などに通うという意味では、あまり知られていないけれども非常に便利で環境の良いエリアがあるのです。

東京ならば谷中、千駄木、根津、本郷、小石川といったエリア。山手線の内側にあり、交通の利便性は抜群ですが、若い人にはあまりなじみのないエリアです。

これらの町を歩いてみればわかりますが、渋い喫茶店や小さいビストロなどもあります。このエリアは旧山の手といわれ、かつては高級住宅街であったところですが、いまはそれほどの

（若年層の）人気はありません。ですが丸の内や虎ノ門といったオフィス街に20分以内で行くことができるのです。

雑誌やテレビで特集が組まれるようなエリアの競争率は非常に激しいもの。知らないだけで、交通の便も環境も非常に良いエリアが複数あるのです。

「人の行く裏に道あり、花の山」

他の人が行かない裏の道にこそ、きれいな花が咲いているということわざがあります。これは、株式投資の世界で利益を得るためには、他人と同じ行動を取っていてはいけない、逆の行動をとらなくてはならないという格言ですが、物件探しにもこのことわざは使えるのではないでしょうか。

東京でも地方でも、知名度は低いけれど環境の良いエリアというのが存在します。超人気エリアで掘り出し物件を探してまわるより、穴場エリアで良い物件を見てみましょう。先入観をもたずに、いろいろなエリアを検討してみることをおすすめします。

Column 2

豪邸に住む人に幸せな人はいない？

ある日テレビを見ていると、俳優であり歌手である美輪明宏さんがこんなことを言っていました。

「私は芸能界に入ってもう40年以上になりますが、周りの芸能人を見ていて豪邸に住んでいて幸せそうな人は一人もいないし、幸せな死に方をした人は一人もいない。これだけははっきり断言できます」と。

私はこの言葉を聞いて、自分のこれまでの短い経験から感じていたことがやっぱり真実なのかもしれないと思いました。

私は、不動産のコンサルタント業・投資顧問業を通じて数々のお客さまにお会いしてきました。当然ながら、会う人ごとに「あなたは今、幸せですか？」と聞いてきたわけではありません。

ただ、私がこの業界に携わってから、これまで様々な方とお会いする中で、美輪さんのおっしゃっていることと同じことを漠然と感じていました。

みなさんがこの本を読んで一生懸命勉強し努力し行動されたとしても、その結果、みなさんが借りる家は予算の関係上すごく狭く小さい家になるかもしれません。

しかし、全くそのことを悔やんだり残念に思う必要はないのです。なぜなら家の広さや豪華さと皆さんご自身が幸せかどうかということは全く比例しません。

もし機会があったら山口県萩市を訪れてみて下さい。ここは旧長州藩の城下町です。驚くべきことに幕末当時の街並みがある程度そのままの区画で残されています。

殿様の住むお城の近くには当時の家老の大きなお屋敷（跡）が残り、その周りには若干広さの小さい上級武士の家、その外側には下級武士の小さな家、さらにその外側には農民と、当時の区画のまま残っています。

まさにお城を中心にして外へ行けば行くほど身分は下がり、一区画の土地の面積は段々と狭くなり、家は粗末になっていきます。

しかし、明治維新のときの活躍により教科書にも歴史上も名を残した人々の生家は、高杉晋作を除くほとんどの者が町外れの貧しく身分の低い家の出でした。

後に総理大臣にまでなった伊藤博文の生家は、町外れの茅葺きの農家です。幕末に多くの志士を育てたあの吉田松陰の家も塾も城から遠く離れた場所、伊藤博文の生家の近くにあります。

みなさん、当時の大豪邸に住んでいた長州藩の家老や上級武士、はたまた殿様さえも、彼らの名前を誰か一人でもご存知ですか？

現在の萩市内にも吉田松陰や伊藤博文の銅像はあれど、彼らの銅像は一つもありません。

もうおわかりと思いますが、このことは幕末だけでなくどの時代にでもいえるのではないでしょうか？

みなさんが今現在、どれほど豪華な家に住むかということより、これから、どんな行動を起こすのか、何をなすのかということの方がみなさんの人生にとって何万倍も大切なことだと思います。

第3章　内見・下見で失敗しないための心得

周辺環境を必ずチェックせよ

住みたいエリアが決まったら、交通手段や公共施設、環境などを徹底的にチェックしよう。

最低10件見るまでは練習だと思うべし

内見は部屋探し最大のポイント。ここで横着をしていたら、いい部屋を探すことはできない。

実際に住んでいるところを想像せよ

自分が生活しているところをイメージしてみる。間取りや収納、日当たりなど、意外な落とし穴があるかも。

絶対にあきらめるなかれ！

譲れない条件を譲ってはいけない。連日の部屋探しで疲れ果てても、決して妥協しないこと。

第4章

こだわり派の
賃貸物件

ワガママで探すと実はお得!?

部屋を探していると、「分譲」「リロケーション」「公団」など、たくさんのキーワードに出くわすでしょう。

ひとくちに「部屋(物件)」といっても、種別、契約システム、契約条件など、さまざまなちがいがあります。

なかなか良い部屋が見つからないという人は、ちょっと着眼点を変えてみましょう。

分譲タイプはあらゆる面で優れもの

分譲タイプと銘打たれた部屋は、主に3つの種類があります。

（1）賃貸用に建設されたものだが、仕様・グレードが分譲に近いもので、正確には分譲仕様と言えるもの。
（2）分譲マンションとして売り出された物件のうち、売れ残ったものが賃貸用にまわったもの。近年急増中。
（3）分譲マンションを自らの住まいとして購入した人が、大家さんとして賃貸にまわすもの。

ここでは、（2）（3）を念頭において説明しましょう。

分譲とはもともと販売用に造られた物件のことで、賃貸用マンションと比べると、壁や床が厚くしっかり造られています。つまり、防音性、断熱性、耐震性に優れているわけです。

また、使用している畳やフローリングも、賃貸用よりも良質です。

さらに、キッチンやエアコンなどの設備面が充実している物件、収納力に優れた物件、天井が高く広々と感じられる物件も、これらに多く見つかります。

ちなみに分譲物件は壁の内側からを専有部分としているため、同じ面積でも、壁の一部までを専有面積に入れている賃貸物件よりも若干広くなるケースもあります。

（1）（2）の場合、一般的には賃料も若干高く設定されていますが、（3）の場合、たとえば築20年以上たっている分譲物件であれば、新しい仕様にリフォームが施されていても、賃料は相場と変わらないケースもあります。

見た目は他の賃貸物件と変わらないかもしれませんが、しっかりと修繕がおこなわれていれば、外観もきれいだし、防音性も高いといえます。もともとしっかりと造られていますし、賃貸よりも管理・修繕が行き届いていますから、構造上の古さは気にならないでしょう。

その他賃貸マンションとのちがいは、周辺住民が賃貸生活者ではなく購入者が多いという点です。物件にもよりますが、総じてコミュニティの質は賃貸よりも高く、騒音などに悩まされる可能性は低いといえます。

ちなみに、（3）の分譲の場合はその部屋の持ち主が大家さんなので、たとえばさらに広いマンションや家を買って引っ越した人、地方に転勤している人など（理由は不動産屋さんに聞けば教えてもらえます）、大家さんとしての権利・義務などに不案内である場合があります。この場合、部屋の使い方を干渉されたりするなど、トラブルを招くこともあるかもしれませんので、不満な点や不安な事項があれば、不動産屋さんを介すようにしましょう。

短期で勝負のリロケーション物件

リロケーション物件とは、海外赴任、地方への転勤などの事情で、一時的に部屋を出た大家さんから借りる物件のことです。購入者が個人的に賃貸にしているという面では、分譲タイプと同じです。

基本的には2LDKなどのファミリータイプが多く、構造や設備面に優れているものが多いという面でも共通しています。ちがいは、家賃と退室の都合です。

通常の賃貸借契約では、借り手であるあなたの都合を優先して更新ができます。退室するのもあなたの都合が優先です。

しかし、リロケーション物件では、一定の期間（通常2年〜5年）を過ぎると、退室を決めるのは大家さんの都合です。入居期間は、「転勤留守宅4年以降帰任迄」「定期借家5年」というように物件情報に記されています。

たとえば、大家さんが「海外赴任から戻るので、退室してください」と言われたら、あなたは退室しなければなりません。

この場合、通常30日前までに退室のお願い文書が届くことになります。

つまり「更新」という概念がないのです。よって、一定の期間を過ぎたからといって、更新料を取られることはありません。

賃料は相場よりかなり安く設定されています。また、家具付きの場合もあります。ファミリータイプの物件が中心ですが、短期で安くていい部屋に住みたいという人であれば、このタイプを検討してみるのも手でしょう。

一般的に多く流通している物件ではありませんので、数に限りがあり、選択肢は広くありません。「リロケーション」でネット検索をかければ、いくつかの専門業者がヒットします。

格安の都民住宅、公団住宅、特優賃

都民住宅、公団住宅、特優賃などは、礼金や更新料を支払わなくていいメリットがあります。

正直なところをいえば、これらの物件はかつて、「古い、遠い、せまい」の3拍子がそろったものも多く、お世辞にも魅力的とはいえませんでした。

しかし最近の物件はちがいます。若者よりもファミリータイプ向けですが、SOHOとしての利用価値が高かったり、デザイナーズマンション風であったり、ダサいというイメージは払拭されているようです。

さらに賃料も非常にリーズナブルで、たとえば都内江戸川区の２ＤＫで６万円以下といった物件もあります。民間の物件に比べて敷地が広いのも特長です。

問題は入居です。入居は基本的に抽選で、首都圏では公団公社、都民住宅、特優賃などを含め、空き家と新規の応募で年30回から50回ほどおこなわれています。

当選率は物件の種類と場所によって異なりますが、平均して10倍くらいが目安です。

さらに、複数の物件に申し込むこともできるので、希望地区を広げ、希望物件数を増やせば、当選確率も上がります。

しかしなぜあまり市場に出てこないのでしょうか。それは、住んでいる人がなかなか出ていかないからです。広くて家賃が安く、更新料もないわけですから、誰も引っ越そうと思わないのです。いくら抽選が行なわれていても、倍率がそこそこでも、当たりくじがなければ当たりは出ません。

ちなみにファミリータイプの物件が多いため、１Ｋから２ＤＫくらいまでにしぼりこんでしまうと、年間で１物件も空きが出ないこともあります。つまり、引っ越したいときにすぐ引っ越せないわけです。

　それでも興味がある場合は、とりあえず申し込んでおくのもひとつの方法です。宝くじ並みに当たらないわけではありませんので、気長に待っていればいつかチャンスがやってくるかもしれません。

　ちなみに入居までの期間は、募集から抽選を経て結果が出るまでが2カ月ほど。さらに、内装リフォームにかかる時間があります。当選順位によっては入居できるまで6カ月ほどかかる場合もあります。

　なかには、空き予定を想定して募集していることもありますので、前入居者の退室待ちということもあります。いますぐ引っ越したい人には向いていませんが、いいかえれば、当選してから引っ越しのプランを練っても十分に間に合うわけです。

　ちなみに当選した際には、物件を見に行き、気に入らなければ辞退することもできます。また、一度当選したことで、それ以降が当選しづらくなることもありません。

誰かと暮らすという発想

ルームシェア（ハウスシェア）のすすめ

パリやロンドンの多くの若者たちは、ルームシェアをして都会に暮らしています。なぜならば、いまやロンドンやパリの家賃は、東京よりもさらに高くなってしまっているからです。ルームシェアというライフスタイルは、欧米では以前よりさらに普及しています。

日本でも都市再生機構をはじめとして、ルームシェアを表立って解禁する大家さんが徐々に増えてきました。これは若年層の人口減少によりなかなか賃貸物件が埋まらないという実情があるからなのですが、みなさんもこの時代の変化を利用してはいかがでしょうか？

ルームシェアとは、一軒家やひとつのファミリー向けマンションを2人以上の複数で共同で借りるものです。

このメリットは、キッチンや洗面所、バスルームなど共有スペースが単身者で借りるよりは広く豪華なものになり得るということや、もちろんひとりひとりの家賃の節約にもなります。たとえば、3LDKのマンションを3人で借りるとします。仮にその家賃を18万円としたとき、3人で割ればひとり6万円になります。6万円で広いキッチンとリビング、プラス自分の寝室がついてくるわけです。

実際には各部屋の向きや広さによって、3人の賃料を調整する必要があるかもしれません。このルームシェアは、端的にいえば共同生活になるのですから、お互い入居前に細かいルールを決めておくことが大切でしょう。

たとえば、ゴミは誰が出すのか、料理はどうするのか、夜は○時以降は音楽や楽器を鳴らさない、など。お互いに長く快適に住むためには、考えうるあらゆる細かいルールを事前に明記し、お互いに合意してサインするくらいのことをやったほうがいいでしょう。

日本でも、仲良し3人組で住むのではなく、欧米のようにまったく知らない他人同士（異性を含めて）のルームシェアが増えてきました。もちろん事前にお互い面談して、共同生活をやっていけそうか判断するわけですが、仲良しの友人と住む場合でも、詳細なルールをつくってお互いに認識しておくべきでしょう。

ルームシェアは経済的な理由以外にも、おすすめする理由があります。

人は生きていくうえで、他人とかかわらずに生きていくことはできません。その他人というものは、いろいろな個性を持ち、誰もが自分とは違った環境で育った人たちです。

ルームシェアによって、他人と一緒に同じ屋根の下で暮らし、ときにはけんかをし、ときにはなぐさめあい、一緒に食事をするということは、まさに濃密な人生そのものです。家賃の節約だけでなく、人と濃密にかかわるという貴重な経験ができるのです。

「コレクティブハウジング」という新しい暮らし方

いまの日本の賃貸市場は、需要と供給のバランスが崩れています。需要としての人口は減り、経済的繁栄も一極集中で格差が進み、その結果、地方の過疎化はますます進むでしょう。

また、同時に少子高齢化も同時に避けられない現実です。

一方で、供給サイドの賃貸住宅は、すでに物件があまっているうえに、さらに毎年多くの新しい賃貸住宅が供給され続けています。

また、収入、階層の二極化が進み、ワーキングプアという呼ばれる低所得者層も顕在化してきました。

このように、ある意味で暮らしがたい世情において、「賃貸住宅」にも、新しい潮流が生まれています。それが「コレクティブハウジング」と呼ばれる賃貸スタイルです。

「コレクティブハウジング」とは、世代を超えた他人同士が一軒家や集合住宅に住むという、「世代を超えた積極的ルームシェア」といえるものです。

たとえば、老夫婦、子どものいる若夫婦、学生やＯＬなど、年齢も職業もバラバラな者同士が、あえてひとつ屋根の下に暮らすという新たな賃貸のスタイルです。

欧州ではすでにかなり普及しており、米国でも「コウハウジング」と呼ばれ、新しい時代の住まい方として認知されています。

通常「食事」や「語らい」は、共有スペースの食堂やリビングで集まっておこなわれます。食事だけに限って言えば、みんなで食事の調理をするもよし、気が向かなければ、プライバシーの守られた個室スペースでお弁当を食べるのもよしです。

共有スペースでは他の人たちと顔を合わせて語らうことができ、寝室などのプライベートの空間はしっかり確保されています。

もちろん共同生活ですから、さまざまなルールにしばられる不便さ、不自由さは、当然ながらあるでしょう。

日本ではまだまだマイナーではありますが、あえてこういった住まい方を選択する人々が増えてきています。

これは、経済的な合理性や、子育てや食事の用意を誰かに一時的に手伝ってもらいたいという物理的利便性を得たいからだけでは、決してないようです。

人間は、孤独を嫌い、人とのつながりや語らいを求める生き物なのです。こういった新しい賃貸のスタイルを通じて、不自由さの代わりに、他人とのつながりを得ることができるのかもしれません。

寂しがりやの若者、孤独な独居老人、子育てに悩む若夫婦、悩みごとを聞いてもらいたいOL……。みなさんはどれにも当てはまりませんか？　本当にそうですか？

現在の日本の多くは、実は大きな孤独感と閉塞感を抱え、人とのつながりに飢えているのではないでしょうか。それを家族で埋められない事情があるなら、こういった暮らしも悪くありません。

赤の他人でも同じ人間同士です。その垣根を実際に超えて、快適で平和な団らんを得ている人々がいるのも事実です。

それでもダメなら自分でつくる

部屋を「改造」できるのか⁉

家を買ったのであれば、キッチンをいじるのもバスルームをいじるのもあなたの自由ですが、借りた部屋を好き勝手にいじるわけにはいきません――と、あきらめてはいませんか？

実は、大家さんの許可さえあれば、気に入らない部屋をあなた好みの空間に創り変えることも可能です。これが、「改造」の考え方です。

物件は大家さんから借りているものなので、レベルはどうであれ「改造する」ためには許可が必要です。大家さんの承諾を得ずに自分でつくりかえることはできません。

また、賃貸借契約は、「借り手が原状回復して物件を返す」ことが大前提になっていますので、もともとの状態に戻すための作業もしくは費用も必要となります。

ちなみに、大掛かりな改修や、大家さんにも費用を負担させる場合、相談内容は大家さんにとっても利がなければなりません。

大家さんにとっての利とは、（1）改造することで物件の価値が上がる、（2）お金と手間がかからない、（3）改造を条件にすることで借り手がつく、の3つです。

たとえば、「畳をフローリングにかえる」は（1）です。時代性を反映した提案なので、受け入れてもらいやすいでしょう。

（2）は、「費用はこっちで持ちます」という姿勢で臨むということです。

お決まりのリフォームパターンにはおさまらない改造は、部屋の構造上可能かどうか、費用、手間、所要日数はどれくらいかなど、大家さんも不動産屋さんも見当がつきません。そんな改造を夢見るのなら、「少なくとも費用は持つ」という姿勢が必要だということです。ちなみに水回りの改造というのは、かなりの制約があります。

ともかく下調べは必須です。リフォーム店からパンフレットを集めて、金額の目安から。ただ、実際のリフォーム費用は、パンフレットの表示金額よりも安くなる場合がほとんどです。賃貸業者のみならず、売買業者もリフォーム業者も、不動産に携わるほとんどの業者が値引き合戦の時代ですので、そういう意味でも、いま「改造」を考えるメリットは高いといえます。

そして（3）です。「借り手がつく」ということは、とりあえず「あなたが住む」ということです。なんなら、とりあえずどころか、ずっと住み続けてもいいんです。原状回復をおこなうのは、あくまでもあなたがその部屋を立ち去るときです。

また、あなたの好みに特化した個性的な部屋が、他の人にとっても魅力的であったならどうでしょう。高い家賃を払ってでも住みたいという人が現れたらどうでしょう。それは大家さんにとってもうれしいことです。

壁紙やトイレの改造は意外にかんたん

前項を踏まえたうえで、まずは手間もコストも少なめの小さな改造を考えてみましょう。

（1）壁紙（クロス）の張り替え、塗り替え

まずは不動産屋さんに連絡し、大家さんの了解を取ってもらいます。部屋のどの部分をどうしたいかを告げ、原状回復の手段についてもしっかり告げておきましょう。

壁紙を張り替えたり、壁のペンキを塗り替えたりする程度であれば了承してもらえる可能性

は高いでしょう。あとは自分で張り替えるなり、塗るなり、業者に頼んでやってもらうなりすれば完成です。

（２）理想のトイレを手に入れる

温便座やウォッシュレット、ビデつきの便器であれば10万円（工事費込み）ほどで、１日で取りつけることができます。

便座を温めるだけのウォームレットであれば、便座を交換するだけなので３万円ほど。さらにお手軽になります。

「そろそろ寒くなってきたなあ」そう感じてから業者に発注しても、明日にはあったか便座を手に入れることができます。

設置費用については、契約前に交渉してみましょう。「たった10万円ですから、つけてもらえませんか。つけてくれたら借ります」と提案すれば、応じてもらえるケースも多いはずです。

また、和式を洋式に作り替えることも可能で、この場合の費用は30万円ほどです。

リフォーム可には可能性あり!?

築年数の古いものをリフォーム

ここからは、やや大掛かりな改造（リフォーム）について考えていきましょう。システムキッチンの導入と、快適なバスルーム、フローリングへの変更です。

まず、リフォームが可能な物件、リフォームしなければ借り手がつかない物件、リフォームする予定がある物件のいずれかを見つけます。

ひとつの目安として、築年数を見てみるといいでしょう。業界では、10年がひとつの目安です。10年ひとむかしというように、仕様が古くなったり、あちこち痛んだり、手をいれなければならないところが増えてくるわけです。

そこにうまく便乗できれば、リフォームを快諾してもらえるだけでなく、費用も負担してくれるかもしれません。とくに、築20年以上たっている物件であれば、大家さんが原価（物件を建てるために支払った費用）を償却できている可能性がありますので、さらに交渉がしやすくなります。

あなたがどんな設備を欲していて、それにはどれくらいの金額が必要で、あなたにはどれだけを負担する準備があるのかを決め、不動産屋さんや大家さんと交渉してみましょう。

気をつけなければならないのは、言い方です。「好きに変えていい部屋を探しています」では、大家さんを恐がらせるだけです。

まずは「もとに戻す」という前提で話を持ちかけ、そのうえで具体的な交渉を進めましょう。具体的な交渉とはつまり、事前に調べた費用、手間、所要日数、導入する設備の仕様と、あなたがどれくらいの費用を負担するのかを明らかにすることです。

リフォーム相談可物件の見分け方

古い物件の他にも、相談を持ちかけやすく、大家さんの承諾を得やすい物件もあります。「不人気エリアにある」「駅から遠い」「利便性に欠ける」物件などです。

リフォームすることによって物件の価値が上がるなら、大家さんも検討してくれるでしょう。

空室を抱えた大家さんのなかには、多少リフォームしてでも借り手がついてくれることを願う人も多いはずです。ポイントは、こうした大家さんを探せるかどうかです。

都心で探すのであれば、老朽化したビルに注目してみましょう。都内には古い「オフィス用物件」があまっているという現状があります。

実践術としてはかなり難易度が高いですが、こうした物件を住居用にリフォームすることができれば、都心で安く、賃貸生活をはじめられるのです。

ただし、実際に住むという観点で見ると、たとえば窓の大きさが足りないなど建築基準法を満たしていなかったり、非常口がなかったりなどの不備が生じることも考えられます。

そういったリフォームには100万円かかるかもしれません。これを高いと思うかどうかは別として、費用負担を大家さんと相談してみる価値はあるでしょう。半分を大家さんに負担してもらうことができれば、あなたの負担は50万円になります。

ただし、もともとバスとトイレが別の水洗になっている物件でなければなりません。また、ある程度の広さがないと快適なバスルームにはなりませんので、築年数の古い物件を中心に探してみるといいでしょう。古い物件ほどバス・トイレが別になっており、広さが確保されていることが多いので、ねらい目です。

フローリングは、防音性、保温性にはおとるものの、畳よりもおしゃれで、ベッドやテーブルといった洋風家具ともマッチします。また、カーペットと比べると掃除が楽で、ダニが繁殖しにくいというメリットもあります。

畳からフローリングに変更する費用は、6畳でおよそ20〜30万円。

ただし、でき上がりはプロ並みとはいきませんが、ホームセンターでフローリング用の床板を買ってくれば、素人でも自分で作り替えることができます。切って、貼るだけなので、作業はいたって単純です。ただし、音の問題でトラブルになる可能性が高いことは知っておいてください。

一方で、いくらかの前金がないと受注してくれない業者が多いのも事実です。できれば前金は2割程度、多くても半分以下に抑え、すべての工事がとどこおりなく終了したところで残りを支払うようにしましょう。

ドアや鍵の交換などのリモデルに関しても同じです。見積もりはできるだけ多くの業者から取り、そのなかから選択し、料金はなるべく施工終了後に支払うようにしましょう。

Column 3

あなたの夢に近づいて引っ越してみよう

もしみなさんが将来やりたいことがあるならば、それぞれの世界の中心というものが必ずあると思います。

言い方を換えればその世界・業界ごとの「メッカ」というエリアが存在すると思います。

私は、その「メッカ」の近くに越してみるということは、具体的に夢を叶える第一歩に現実的になりうるのではないかと思います。

おそらく、そういったところは賃料も高いかもしれません。

結果的に古く狭い木造のアパートになってしまう可能性も高いでしょう。

しかし、一歩外に出ればみなさんのまわりには多くの出会いとチャンス（機会）が待っているはずです。

行きつけのフランス料理屋は無理でも、バーやカフェならすぐにできるでしょう。

そういったところでアルバイトをしたり、また、通うことでさまざまな人との出会いもあるはずです。

また、みなさんが何か特技があったり、趣味があれば、その地域の同好会や道場などに思いきって通ってみてはいかがでしょうか。

現在ではインターネットを通じれば、田舎にいても都会にいても、はたまた大豪邸に住んでいても小さいアパートに住んでいても、情報の格差はありません。

しかし、みなさんにとって本当にリアルで本当に有益な情報やチャンスはみなさんの夢の場所の近くに存在するものです。

つまり、みなさんが夢の近くで暮らし、毎日目標に向かって努力しアンテナをはりめぐらせば、そこで「人との出会い」があり、自身も「その場の空気」から何かを感じることができることでしょう。

さて、具体的には、どうしたら良いでしょうか。

ここに住みたいという場所が見つかったとしても、そこが非常に人気のエリアで家賃が高ければどうしましょうか。

私は、一駅、または二駅でも郊外寄りの駅周辺で探すことをお勧めします。

2駅程度の距離であれば、賃料はけっこう安くなることはよくあります。

でもその程度の距離なら、自転車や徒歩で皆さんの「メッカ」に通うことができるはずです。

仮に、引越をしても家にずっといるようではどこにいても同じです。

家を出て、人と会い、友人を作り、地域のコミュニティに自ら入っていきましょう。

その当たり前の地味な行動があなたの人生を大きく変えるかもしれません。

本当ですよ。

第4章　こだわり派のための心得

分譲タイプに目をつけよ

同じ間取りでも、「分譲タイプ」とあったらポイント高し！　建物のグレードはケタ違いに◎。

賃貸物件だって得がある

コストパフォーマンスにこだわるなら、リロケーション物件、公団住宅、特優賃などを中心に探すのも手。

新しい型の住まい方も考えてみよう

ルームシェアなど、複数人で部屋を借りれば、一人あたりの家賃はかなり安くなる。

リフォームという手段を考慮にいれてみよう

築年数が古くても、内装を一新すれば驚くほどきれいになる。許可があれば自分で変えることも可。

第5章

契約を交わす

めんどうだけど大切なこと

あなたにとって不利な契約内容は無効になる

契約書の書面は、専門用語や法的用語であふれています。

借り手は不動産業界の人間ではありませんので、うっかりしていると甲や乙が主人公の世界にまどわされ、不利な契約書に捺印してしまうことも十分考えられます。

そもそも契約内容は、大家さんに有利なように書かれているものです。

しかし、心配することはありません。専門用語や法的用語とは言っても、訳してみればしょせん、日本語です。たとえあなたに不利な契約があったとしても大丈夫。法律がしっかりあなたを保護してくれています。

おそれることなく、むずかしく考えることなく、堂々と契約に立ち向かいましょう。

法的用語や専門用語だらけの契約書を読みといていくと、その内容は大家さんに有利なように記されていることがわかります。

大家さんとしては、あなたを含めた真っ赤な他人たちに物件という財産を貸すわけですから、賃料の支払い、敷金の使用用途、更新料などあらゆる伏線を張って賃料を得る権利を守っているわけです。

なかには、「クリーニング代は借り手が負担する」など、あまりにも大家さんに都合がいい条項が組み込まれていることもあります（クリーニング代は原則大家さんが負担するもの）。

また、借り手に追加負担を押しつけるための特約（特約事項）という項目を設けている場合もあります。たとえば、「鍵の交換費用は借り手負担になる」などの内容がこの中に組み込まれていることがあります。

そんなときに覚えておいてもらいたいのが、借地借家法の「借家人にとって不利な契約内容はすべて無効となる」という一文です。

つまり、契約時には不利な条項に気づかずに契約してしまっても、この一文が守ってくれるようになっているわけです。これがあなたの「盾」です。

ただしこの一文は、「あまりにも大家さんに都合がよく、常識的に考えて借り手が不利になる場合」にのみ使える盾です。

ちなみに、特約が有効となるか、「借家人にとって不利」と判断されて無効になるかはケース・バイ・ケースです。大家さんと借家人の双方で納得ができなければ、話し合い、調停、訴訟などで解決していくことになるわけですが、いかなる場合においてもお互いが対等な立場でなければなりません。そのために存在するのが借地借家法というわけです。

たとえば、過去に予想以上の敷金を取られ、泣き寝入りしたことはありませんか？　消費者が泣きをみる時代はもう終わりました。

あなたには「住む権利」が保証されている

契約時には、借地借家法が守ってくれます。では、居住時にはどうでしょうか。

契約書を交わすと、借り手には「物件に住むことができる」という権利が発生します。ただし契約書には、「甲（家主）が乙（借り手）に催告なく契約を解除できる」場合についても記されています。つまり、契約期間満了を待たずして「出ていけ」といわれることもあるということです。

ここで覚えておきたいのが、借地借家法第38条の「借り手は強制的に退室を命ぜられることはない」という一文です。

たとえば、水もれ事故などを起こしたり、ボヤを出したりしたとしましょう。損害を与えた相手には賠償する必要があるでしょう。しかしだからと言って出て行かされることはありません。騒音で隣人からのクレームがついた場合でも、単身用のマンションにふたりで住むようになったとしても、あなたの住む権利はよっぽどのことがない限り守られます。一方的に解除されることはないわけです。

しかし、「借り手は強制的に退室を命ぜられることはない」という一文は、あくまで大家さんと借り手の立場は対等であるということなので、あなたの権利がすべてにおいて強いわけではありません。賃料の長期に渡る滞納があったり、住む目的で借りたのに風俗店を営業したりした場合は例外です。

また、無断でペットを飼ったり、禁止されている石油ストーブを使用したりなどの問題を起こした場合は、退室こそさせられないものの、何らかの被害が生じたときは、のちのちその損害を賠償する責任は生じるでしょう。

大家さんには借家人を選ぶ権利がある

あなたの権利について理解したところで、大家さんの権利についても把握しておきましょう。

大家さんには、賃料収入を得るという目的があります。そこであなたが用意しなければならないのが、連帯保証人です。連帯保証人がいなければ契約はできません。これは慣例です。

連帯保証人とは、借り手の過失によるトラブルを賠償する人で、たとえば賃料の滞納や、借り手過失の火事などの損害を保証します。一般的には、借り手の肉親が連帯保証人となりますが、「保証」するわけですから定職についているか定収入が見込めなければなりません。

肉親がいない人や、親が定年していて収入力がない場合は、友人。友人に頼めない場合は、保証会社に頼みます。なんにせよ、あなたを保証してくれる人が必要となるわけです。

ちなみに、もしあなたが賃料を滞納したり、事故やトラブルを起こしたりすれば、必ず連帯保証人に連絡がいくことになります。あなたの行動ひとつで連帯保証人に迷惑がかかるかもしれないということを念頭に置いておきましょう。

大家さんには、借り手を選ぶ権利もあります。借り手の支払い能力、連帯保証人の支払い能力を判断し、より安全で確実に収入が得られる借り手を選ぶことができるわけです。これを「審査」といいます。

とはいっても、借金の審査のように不動産屋さんの連絡会があるわけではありません。また、借り手のプライバシーに関わることを調べるわけでもありません。

あなたの勤務先に電話して本当に在籍しているかを確認したり、連帯保証人に電話して「連帯保証人になりましたよね？」と確認したりなど、その程度です。

ちなみに、申込書やその他の契約書類に嘘が見つかった場合には、審査は通りません。また、連帯保証人の支払い能力に不安がある場合、連帯保証人が拒否した場合も、審査は通りません。

大家さん側にも「貸したいタイプ」というのもあります。これも「借り手を選ぶ権利」のひとつです。

大家さんが部屋を貸したいタイプは、なにかあった際にしっかりした会社に勤めている、親が責任を取ってくれる「学生」、有名企業に勤める「会社員」、きれいに使ってくれる「新婚夫婦」「女性」などです。

ただ、よほどの人気物件で借り手候補が殺到するような場合をのぞけば、これについてはあまり気にする必要はないでしょう。

契約時に必要な書類

すべての面で熟考し、納得できればいよいよ契約です。

契約（貸室賃貸借契約書）に必要なものは、

（1）住民票

（2）社会人の場合は収入証明書（源泉徴収票など）／学生の場合は学生証

（3）印鑑証明書（3カ月以内のもの1通）

（4）健康保険証／自動車免許証など

です。

もし借り手が学生、無職、もしくは勤務歴1年未満の場合は、

（5）連帯保証人の収入証明書

も必要になる場合があります。

これら書類が揃えば、捺印して契約成立です。晴れて新しい賃貸生活のはじまりです。

火災保険ではどこまでカバーしてくれる？

最後に保険に加入します。

保険はたいてい不動産屋さんが提案してくれますが、確認するのは、その保険がどこまでを保証してくれるかです。

たとえば火災保険の場合は、火災のみの保証しかしてくれませんが、住宅総合火災保険であれば、火災、水害、風害などの天災や、水漏れなどの事故、盗難被害も対象になります。若干料金は高くなりますが、後者にしておいたほうがいいでしょう。

1992年からの10年間で、強盗の認知件数は約3倍に増えています。前にも書きましたが「日本は安全」という神話は現代では通用しません。

《一例》

専有面積33㎡未満の保険

家財の保証300万円、家主への賠償1000万円、
他人に対する保証1000万円、建物の修理費100万円

保険は契約時に支払い、2年間有効となります。金額は専有面積によって異なり、たとえば33㎡の住宅総合火災保険で1万円、66㎡未満で1万5000円、99㎡未満で2万円ほどです。また、地震保険をつける場合は、33㎡で1万4000円、66㎡未満で2万4000円、99㎡未満で3万4000円ほどです。住宅総合火災保険では地震による火災は保証されません。

ちなみに、隣人が火事を起こしてあなたが損害をこうむった場合には、その保証は隣人がおこないます。というよりも隣人が入っている保険会社に保証してもらうことになります。

もし隣人が保険に入っていなかった場合、あなたの損害は保証してもらえないかもしれません。というのも、火事を起こしたばかりの人に他人の損害を保証するだけの力が残っているとは考えづらいからです。

建物内の住民がどんな保険に入っているのか、全員が住宅総合火災保険に加入しているのか、確認しておくと安心です。

契約前に知っておくこと

ポイントは、賃料と支払い日、禁止事項

さて、物件が気に入り、いよいよ、あとは契約書締結（賃貸借契約）ということになります。念のため、契約書にはなにが書かれているのかを確認しておきましょう。なかでも注意したいのは、賃料と支払い日、禁止事項の2つです。

まずは賃料です。基本は期日までに支払う。それだけです。

賃料は前払いなので、前月末まで（9月分の賃料なら8月31日まで）に振り込むよう設定されています。遅れると損害料を取られることがありますので、給料日が31日の人は、翌日までに許容してもらうなどの交渉をしてみましょう。やむを得ず遅延して損害料を取られるのは損な話です。金銭的にも、あなたの信用問題としても。

禁止事項については「違反するとトラブルの元となる」ことを覚えておきましょう。ですのでこの項目は特に注意が必要です。

契約がすんだら引き返せない

物件の条件に納得し、契約内容について確認したら、晴れて賃貸生活のスタート。あとは捺印して契約成立となります。

いいかえれば、申込みの段階では、引き返すことができますが、契約してしまうと引き返せません。申し込むことと、契約することのちがいを金銭面から考えてみましょう。

まずは「申込金」についてです。

申込金が必ず戻ってくるというのは、契約前の話です。たとえば、申込金を預け、最終的な決断を迷っていたとします。これは申込みの段階です。

しかし契約書に捺印をしたら、そこから先は契約後です。「やっぱりキャンセルしたい」といっても契約は成立していますので、申し込み金が充当された手数料・礼金などは返却されません。

それだけではありません。契約書には「解約の予告を30日前までにおこなう」条項がありますので、初月分の賃料を支払うことになります。賃料の1割を申込金としたのであれば残り9割を支払い、申込金を預けていなかったのであれば全額を支払うことになります。賃料8万円の物件なら8万円が戻ってきません。ちなみに支払いを拒否した場合は、連帯保証人に支払い義務が生じます。

契約後に、初月分の賃料や礼金・敷金などがすべて戻ってくるのは、大家さんもしくは不動産屋さんの事情でキャンセルの申し出があった場合のみです。しかし、これは、ほとんどありあり得ないケースといっていいでしょう。

「手付金」と「申込金」のちがい

もう一度、「手付金」と「申込金」についてクリアにしていきましょう。これらは、物件を仮押さえしてもらうために不動産屋さんに預けるお金で、あくまでも一時的に預けるものです。「手付金」と「申込金」は、「仮押さえしてもらうために支払う」という意味こそ同じですが、その性格はちがいます。もしキャンセルした場合、「申込金」なら戻ってきますが、契約と同時に支払った「手付金」は戻ってこない場合がほとんどです。

「私は、まかりまちがってもキャンセルなどしない」と言いきれるのなら、どちらでもかまわないですが、やはり急いで行った判断は、色々とミスが多いものです。

さて、「申込金」はただ相手に預けただけのお金です。預ける前も、預けた後もあなたのお金で、契約が成立した場合は、そのお金を全額、賃料にあてることができます。また、キャンセルした場合（賃貸借契約を結ぶ前に限ります）は、全額が自分の元に戻ってきます。

では「手付金」の場合はどうでしょうか。手付金では、契約時の内金として理解されます。よって、一般的には、「手数料」の一部として差し引かれたり、契約を解除した時は、「手付け流れ」という名目で全額没収されたりすることがあります。

申込金や手付金について、法律ではそのあたりをどう書いているのか確認してみると、実は契約前のお金のやり取り自体が宅建業法違反となっています。しかし、契約と同時に受領された手付金は、契約時金として法的には問題ありません。

不毛なトラブルを避けるためには、契約書を交わすまで、お金のやりとりはなるべくしないほうが望ましいといえるでしょう。もしも仮に「申込金」が返還されないなどのトラブルになった場合は、各都道府県に必ずある不動産業者とのトラブル・苦情の相談窓口にかけあってみましょう。

主な相談窓口は左記の通りです。

（電話番号は各都道府県の代表番号）

東京都庁	住宅局　不動産業指導部指導課	03・5321・1111
埼玉県庁	都市整備部　開発指導課	048・824・2111
神奈川県庁	建設業課　宅建指導班	045・210・1111
千葉県庁	建設・不動産業課　不動産業室	043・223・2110
愛知県庁	建設業不動産業課　不動産業グループ	052・961・2111
大阪府庁	建築振興課　宅建業指導グループ	06・6941・0351
兵庫県庁	都市政策課　不動産業指導課	078・341・7711
京都府庁	土木建築部　建築指導課	075・451・8111
広島県庁	建築指導室　宅建業グループ	082・228・2111
福岡県庁	建築都市部　建築指導課　宅建業係	092・651・1111
宮城県庁	建築宅地課　建築指導班	022・211・2111
北海道庁	建設部　建築指導課	011・231・4111

裏ワザで交渉してみる⁉

ダメもとで礼金ゼロを交渉

そろそろなくなるだろうといわれながら、なかなかなくならないのが「礼金」です。

そろそろなくなるだろうといわれる理由は、現代において礼金は何の対価として支払うものなのかはっきりしないということをみんなが気づいてからです。しかし、なかなかなくならないのは、大家さんにとっては、なくしたくない慣習だからです。

礼金とはそもそも、戦中戦後に生まれた慣習です。戦中、戦後、物件の数がいちじるしく不足していた当時、戦災で住む家を失い家を探していた人々が、大家さんに月々の家賃を低くおさえてもらう代わりに、お礼として支払ったことがはじまりだといわれています。それが空室過多の今日に状況は変われど慣習だけが残っているのです。

もし気に入った物件が礼金を取る場合は、まず交渉してみましょう。交渉して損することはありません。

「最近は、礼金ゼロの物件が増えている」という事実を告げ、「礼金がゼロなら契約してもいい」といった提案をしてみましょう。

もし「不人気エリアにある」「駅から遠い」「利便性に欠ける」「古い」物件であれば、交渉が受け入れられる可能性は大きいでしょう。大家さんとしては、空き家にしておくよりは礼金を受け取れなくても入居してもらったほうが得策だからです。

いうまでもなく、礼金は1円たりとも戻ってこないお金ですので、これまで当たり前のように取られていた2カ月、3カ月分のお金がゼロになれば、相当な節約になります。

逆に、「人気エリアにある」「駅から近い」「利便性に優れている」「新しい」物件では、礼金を取る事例がいまだに残っています。また、値引きもむずかしいのかもしれません。

これら「人気がある物件」には、借り手候補が多くあらわれるため、大家さんとしては礼金を未だ値引く必要がないからです。

ただ、交渉してみて損することはありません。もしかしたら、3カ月分が2カ月に、2カ月分が1カ月になるかもしれません。

敷金は預けた分だけリスクにさらすことになる

敷金は、賃料の1カ月分から3カ月分が一般的で、礼金と同様、引越時の初期費用として大きなウエイトをしめるものです。

ただし、値引いてもらう点から考えれば、優先順位は礼金の次です。というのも、礼金は返金されませんが、敷金は基本的には退室時に戻ってくるものだからです。

気をつけなければならないのは、「礼金は値引けません。手数料も値引けません。その代わり、敷金を1カ月分に減らしましょう」のような、不動産屋さんからの代替案です。敷金は戻ってくるという性質を踏まえれば、この提案があなたにとって最良の提案であるわけではありません。もちろん、値引いてもらう価値もあります。単に引越時に必要になるお金をセーブできるのですから。

不動産賃貸において最も多いトラブルが、敷金返還の問題だからです。トラブルになるのは、本来戻ってくるはずの敷金が、戻ってこないのが理由です。いいかえれば、最初から預ける額を少なくしておけば、万一何らかの理由で戻ってこなかった場合でも、被害が少なくおさえられるというわけです。

また、最近では「敷金全額返還」などのサービスを掲げる大手不動産屋さんもありますので、こうした不動産屋さんを選ぶことでトラブルを避けることもできます。

もちろん「敷金全額返還」でも、あなたが何かのトラブルなどで床や壁に大きな穴や傷をつけてしまったような時は、その費用を敷金から差し引かれます。

ちなみに敷金システムは、関西では異なります。賃料の2カ月から3カ月分を預ける関東流に対し、5カ月や6カ月分の敷金（「保証金」ともいいます）を預けるのが関西流です。

では、関西に礼金がないのかというと、そうでもありません。関西流では敷引きというシステムがあり、預けた保証金の一部もしくは全部を返還しないという契約です。ある意味、敷引きとは礼金と似た性格をもっているととらえることもできます。

仲介手数料の割引につられない

次に「仲介手数料」です。

最近では、「仲介手数料0・5カ月分」「0・7カ月分」などの割引サービスを掲げる大手不動産屋さんが増えてきました。

仲介手数料の上限は賃料1カ月分（消費税別）ですから、0・5カ月分に割引いてもらえれば、賃料5万円の部屋なら2万5000円、15万円の部屋なら7万5000円も浮かせる計算になります。高賃料の部屋を借りる人ほど、得するサービスというわけです。

重要なのは、サービスにつられないことです。「仲介手数料0・5カ月分」にしても、いい部屋が見つかってこそのサービスです。

「仲介手数料をサービスするから契約下さい」といった提案は本末転倒ですので、耳を貸さないようにしましょう。

なかには、なかなか借り手がつかないため、特例で割引かれている物件もあります。内見と周辺環境を下見して物件の価値を吟味したうえで、良い部屋であればサービスに喜び、ダメな部屋であればサービスがなんであれ、選ばないように注意しましょう。

ところで、仲介手数料は賃料1カ月分が相場ですが、これは妥当なのでしょうか？

実は不動産屋さんにとっては、何件も案内しなければならない実働時間に対し賃料1カ月ぶんは「安い」という感覚なのです。確かに成約率数％～数十％では、報酬として十分ではないのかもしれません。

ではなぜ仲介手数料の割引が可能なのでしょうか。不動産屋さんは大家さんからも仲介手数料を受け取れるからです。借り手から賃料0・5カ月、大家さんから0・5カ月で、あわせて1カ月分の仲介手数料を不動産屋さんは確保できているわけです。

これは空室の数が増えることで、大家さんの考え方が変わってきていることによって生まれてきた現象です。

大家さんもこの割引によって早く空室がうまるのならば、払ったほうが得なのです。

ここで再認識しておくべきなのは、現在ではいかに空室の数がすさまじいかということです。

大家さんのいいなり、不動産屋さんのいいなりで、払う根拠、必要のないものまで払ってきた時代は終わりを告げつつある兆候のひとつが、この手数料の割引なのです。

借り手が優位に立てる時代なんだなあ——そんな実感をもとに、かしこい物件選びをしていきましょう。

Column 4 失敗したときはどうすれば良い？

この本では家を借りることにおいてのさまざまなノウハウを提供しています。

その目的は皆さんに賃貸物件選びで失敗をしないでほしいからです。

しかし、もし、皆さんが借りた家が結果的にまったく自分に合わないものであるならば、さっさと次の引越をするのも良いでしょう。

引越を繰り返すことは高い授業料を払うことにはなりますが、その経験は血となり肉となりその後の人生に何かと役立つと思います。

ところで、気分転換という言葉がありますが英語でいうと「change of air」です。

つまり「空気を換える」という意味です。

もし皆さんが少し人生の路線を変えたくなったら、「change of air」、つまり住むところの空気を換えてみてはいかがでしょうか。

私は、自分の仕事を通じて、これまでさまざまな土地や家を見てきました。私自身、霊的な能力はありませんが、実は、あるエリアでは、非常に良い「気」を感じることがあります。また、逆のことも多々あります。これは、あくまでも、私にとっての良い「気」なのだと思いますが……。

みなさんも、できればご自身が、良い「気」を感じるところに住むことをおすすめしたいと思います（私自身、現在、良い「気」を感じるところにオフィスを借り、「気」が休まる環境に住んでいます)。

東京の多摩が田舎の私ですが、実家の周りには、今でも畑ばかりですし、子どものころは、周辺に雑木林もありました。ですので、私は、緑や畑がまったくないエリアには心地よさを感じません。

サラリーマン時代住んでいた寮は、京浜工業地帯にあり、寮のまわりは、工場ばかりで、緑の公園一つありませんでした。

私は、息苦しい1週間がおわると毎週末、横須賀線に乗って鎌倉に行きました。鎌倉の山の緑と海を見て気持ちが穏やかになっていったものです。「ああ、ここに住みたい」と思いました。何時か鎌倉に週末別荘をもちたいと。まだ、私自身その夢は実現していませんが、いま住んでいる家の周りもキウイ畑や梨畑があり、近くには、玉川上水沿いの雑木林があります。やはり、都心から疲れて返ってくるとほっと落ち着きます。

皆さんにとっても、快適な環境、エリアというのが存在すると思います。

仕事や交通の利便性を優先するにしても、できる限り「快適さを感じる良い『気』のところに住む」とことは大切だと思います。なぜなら人間は機械ではないからです。人間は、精神的にも肉体的にもそれほどタフにはできていないからです。ずっと動き、働き続けることはできません。誰にも、「休息」して「回復」する時間が必要なのです。

みなさんにとって「休息」できて「回復」できる場所に住まいを借りることは、家の大小や間取りの問題より、何より根本的に大切なことだと思います。

皆さんも失敗を恐れず、自分のライフスタイルや理想に合った家を探してみてください。

第5章　契約を交わす際の心得

契約前に、礼金・敷金の値引きを提案してみよ

古い、駅から遠いなどのデメリットがある場合、ダメ元で礼金や敷金（できれば礼金）の値引き交渉をしてみる。

「手付金」と「申込金」の違いを確認せよ

「手付金」は戻ってこないこと可能性も。トラブルを避けるためにも、仮押さえは「申込金」にする。

契約書は、隅から隅まで目を通すべし

家主さんに有利になりがちな契約書。しっかり目を通して、不明点があれば確認を。

不明点は契約書に捺印する前に明らかにせよ

契約書に捺印したら、すべて了承したことになる。納得するまで、印鑑を押してはいけない。

第6章

住みはじめてからの注意点

つねに相場を意識せよ

引越をしてから2年。契約期間満了が近づくにつれ、あなたは決断を迫られます。

更新か退室か。

居心地が良かったのであれば更新してもいいですし、さらに良い部屋を探す必要がある場合は退室です。

退室に比べて更新が楽なことは事実です。しかし、何も知らず何も考えずにただ漫然と更新するのでは大損！

お金だけの話ではありません。あなたの暮らしのクォリティにも関わることです。数年たって、少し現状を変えようと思ったならば、まずは「さらに良い部屋を探してみよう」という意識を持ってみましょう。あらゆる可能性を探れば探るだけ、人生に変化が生まれます。

なぜそこに住み続けるのか

更新か退室かの決断は、契約満了する30日前までには決めなければなりません。その1週間ほど前には、大家さんもしくは不動産屋さんから更新の意思確認と新家賃などを提示した書類が届くはずです。

まずは、あなたが更新すべきか退室すべきかについて考えてみましょう。

あなたはいまの部屋をどう評価していますか？

(1) いまの部屋が自分にとって100点満点なので、引っ越したくない。
(2) 100点満点ではないが、そこそこ快適だ。
(3) 他の部屋を探す時間がない。手間もかけたくない。
(4) 他の部屋を探してみたところ、良い物件が見当たらない。
(5) 決して満足はしていないが、引っ越すだけの資金の余裕がない。
(6) 決して満足していないので、引っ越すつもりだ。

（1）を選んだ人は間違いなく更新です。しかし、更新は家賃を安くしてもらったり、新しい設備を導入（入れ替え）してもらったりする最良のチャンスでもあります。2年にわずか1回の機会を活かす方法を考えていきましょう。

さて、「更新すべき」といいきれるのは、実は（1）だけです。（2）以下を選んだ人は退室も視野に入れつつ考えていく必要があります。

（2）を選んだ人が考えなければならないのは、「満足度」が、「広さ＋設備＋環境」と、「賃料」の2本柱で成り立っているということです。100点満点でない理由が「広さ」「設備」「環境」のいずれかである場合は退室を選び、あなたの希望を満たす部屋を探すこともできます。また、原因が「賃料」である場合はさらにリーズナブルな部屋を探すこともできますし、更新という機会を活かして交渉することもできます。

（3）を選んだ人が考えなければならないのは、時間と手間を惜しんでいては、暮らしのクォリティは上がっていきません。もともと「衣・食・住」の住においてあまり重視していないのかもしれません。でも本当にそれで良いのでしょうか。

（4）を選んだ人は、「良い部屋が見当たらない」ということについて、再度考えてみてください。もし、今の部屋に幸福を感じ、「これ以上良い部屋あるわけない」というのであれば、更新です。ただ、もし、今の部屋に不満を抱えているにもかかわらず、同じもしくはそれ以下の部屋しか見当たらなかったという場合には、再度エリアや条件を変えて探してみる必要性があります。部屋探しのポイントを再確認してみてください。ここで抜け出さないと、また2年同じ不満を抱え続けることになります。

（5）を選んだ人は、いったいいくら必要なのかを再計算してみましょう。引越は必ずしも高くつくわけではありません。セーブできる部分はたくさんあります。契約時に預けた敷金も戻ってきます（詳細はこの先を読み進めていってください）。その上であらためて計算してみましょう。

（6）を選んだ人は、より良い物件を早い時期から探す準備をして、ずばり引っ越しすべき人です。まずは契約時に預けた敷金をしっかりと取り戻して、新たな生活に備えることにしましょう。

家賃は「上がる」のではなく「下がる」時代

まずは更新する場合から考えていきましょう。この本を読んで引っ越した暁には、ぜひこの項を参考にしてください。

契約満了時の30日以上前には、新家賃を提示した書類が届きます。大家さんの出方はどうなっていますか？　賃料を上げてきた、据え置き、下げてきたの3通りです。

（1）賃料が上がるケース

たとえばあなたが入居してから、大型施設（無料駐車場など）が設置された、24時間在住の管理人が配置された、各部屋に新しい設備が導入された場合などは、ごくまれに値上げを提案されることもあります。

これらの新設備もろもろがあなたにとって利益になっていない場合は、値上げに応じる必要はないでしょう。その旨を不動産屋さんに告げます。

何の理由もないのであれば、必ず聞き出しておきます。「家賃は上がるもの」という、もはや時代錯誤の古い常識・慣習に囚われてはなりません。

かつて家賃が上がっていた時代には「諸物価高騰のため」などの理由がつけられていました。いまもまた、「諸物価下落」デフレの時代から物価上昇のインフレの時代にむかいつつあります。しかし、借家の需給関係は、全体的に空室率が上昇し、家賃は下がる傾向にあります。

納得できない、理由なき値上げが断行されるようであれば、あなたの選択肢は「応じる」か「退室する」か「法定更新の上、断固拒否する」（後述）の3通りになります。

退室する場合はその旨を不動産屋さんに告げ、その日から30日以内に退室することになります。大丈夫です。この本を最初から読み直してみれば、さらに良い部屋がきっと見つかるはずです。

（2）据え置きのケース

据え置きの場合は、下げてもらえる可能性を探りましょう。もし同じ建物内で、自分よりも安く借りている人がいれば、その賃料まで下げてもらう交渉ができます。不動産屋さんに提案してみましょう。

共同住宅の賃料は、上の階のほうが高く、中部屋よりも角部屋のほうが高いのが一般的なので（同設備、同面積の場合に限ります）、あなたが1階で中部屋に住んでいて、他と同じ賃料設定である場合にも、値下げの交渉ができます。

ポイントは「値下げしてもらいたい」と漠然と提案するのではなく、「これこれこういう理由に基づいて、7万5000円に下げてもらいたい」と、事実に裏打ちされ、かつ具体的な値段を提案することです。

そもそも賃料相場というのは「生き物」なので、たった2年、4年でも、大きく変化するものです。

しかし、あなたがその賃料相場の現状を伝えなければ、大家さんはいつまでも気づきません。更新は、世の中を取り巻く経済という大きな動きや変化を、あなたの部屋という小さな世界にまで反映させることでもあるわけです。かみくだいていえば、周辺相場が下がったなら、そのぶんだけあなたの賃料も下げてもらいましょうということです。

さて、「広さ」や「設備」が同じで、安く貸し出されているマンションはありませんか？ここでは、「○×マンションと同じ7万5000円に下げてもらいたい」というような具体的な比較できる例と説得材料を集めることが大切です。

また、同じ賃料でいい設備がついているマンションが見つかれば、新しい設備を導入してもらうきっかけにもなります。「○×マンションにはオートバスがあるので、うちにも入れてもらいたい」と具体的に提案できる例を探しましょう。

最終的になにひとつ応じてもらえなかった場合には、退室して○×マンションに移る覚悟で交渉をおこなうことです。

（3）賃料が下がるケース

労せずして得するパターンです。が、八百屋さんのトマトやキャベツとは話がちがいます。大家さん自ら賃料を下げてくるケースはほとんどありません。もしあったとしたら、その賃料は果たして適正かどうかを、前述までと同様調べてみましょう。もっと下がってしかるべきなのかもしれません。

更新のチャンスをいかして値下げ交渉をする

賃料の交渉権を持っているのは、大家さんだけではありません。みなさんにも交渉権があります。

借地借家法は家主と借り手の権利を同等にしているため、家主に値上げを要求する権利を認めている一方で、借り手に値下げを要求する権利を認めているわけです。

借地借家法では、土地や建物の価格の低下があった場合に値下げの要求ができるとされています。

現在、土地の価格は都心の一部を除き、地方や郊外では落ち続けています。たとえば2年前の契約時と現在までの短い間でも、地価は落ちていると考えるのが妥当でしょう。

つまり、よほどの人気エリアに住んでいる人をのぞけば、借り手のほとんどが、賃料の値下げを要求することができるわけです。

しかし、大家さんに訴えかけるためには、説得力のある資料を提示しなければなりません。そこで、更新の時期を迎えたら、いまいちど相場を調べてみましょう。

周辺地域で、似たような条件の物件がいくらで貸し出されているのかをネット等で調べます。たとえば3000円安く貸し出されているのなら、あなたは3000円の値下げを要求できるというわけです。月々3000円値下げしてもらうことができれば、2年で7万2000円になります。

必ずしも応じてもらえるわけではありませんが、挑戦してみる価値はあるでしょう。情報は金なり、です。

相場を調べているうちに、もしかしたら今、住んでいる部屋よりも良さそうな部屋が見つかってしまうかもしれません。そうなった場合には、実際に引っ越してしまう方法もあります。

万が一、周辺の相場が上がっている場合や、周囲のマンションよりもあなたの賃料が安いようであれば、黙っておけば良いのです。そして大家さんがその事実に気づかないことを祈りましょう（普通は気づきますが）。

あらためて更新について

「更新料」は絶対に払わなければならないのか

更新することが決まれば、新たに契約書を読み返して新賃料などを確認し、捺印すれば手続きは終わりです。

が、契約更新とは、新しく契約を交わすことでもありますので、連帯保証人を決めなくてはなりません。もちろんそのまま更新することもできますし、新たに立てることもできます。いずれにしても大家さんは、連帯保証人に支払い能力と保証能力があるかの審査をすることになります。

さて、更新を選んだ場合には更新料が発生します。

契約書には、「新賃料の1カ月分（更新料）を大家さんに支払い、期間を2年延長する」といったようなことが定められているはずです。なかには、1カ月半から2カ月分を請求される場合もありますが、はたしてこの更新料なるものは何なのでしょうか？

実は、「何に対する対価」であるのかはっきりしないことから、この「更新料」の有効性については、裁判で近ごろまで争われてきました。

その結果、2011年7月15日、最高裁により「賃貸住宅の契約を更新するに当たり、賃料と比して高すぎるという事情がない限りは更新料を支払うことは有効である」といった判断が下されました。

よって、東京圏で慣習的に授受されている「1〜2カ月」程度の更新料については、（契約書に記載されている限り）借り手側に支払い義務があることが確定しました。

しかし、この更新料といったものは（先に解説した「礼金」と同様に）戦中戦後の極端に借家が不足していた時代の古い習慣で、ある意味、時代限定、地域限定の遺物であるといえます。

なぜならば、現在では東京圏を含め借家が全国的に余っている現状です。賃貸市場の需給バランスはすでに逆転し、（一部の地域をのぞき）完全な借り手市場といえるのです。

今では、礼金、敷金、更新料0円をうたう物件も出てきています。どちらにしても近い将来「礼金」と同様にこの「更新料」もなくなる運命にあると思われます。

「法定更新」という選択

借地借家法では、大家さんと借り手は新たな契約を結ばなくても、賃貸借契約は自動的に更新されるとなっています。

つまり、更新期を迎え、新しい契約内容に納得できない場合には、契約更新という手続きそのものがなくても、借り手はその場所に居住する権利を更新できるわけです。これを「法定更新」といいます。法で定められている更新する権利です。

通常の賃貸契約の場合、契約満了の約1カ月前になると大家さんもしくは不動産屋さんから契約更新の意志確認の通達が届きます。ここであなたは更新の意思があることを伝え、更新料を支払い、新しい契約書（賃料などの新設定をします）に捺印をし、新たに契約期間がスタートするわけです。

「法定更新」という方法を取る場合は、更新の意思があることは伝え、新しい契約書にも捺印せず、そのまま契約期間が自動的に延長できます。この場合、前述の通り更新料を払わなければならないかは、現在、裁判所によって判断がわかれています。

もし「法定更新」を選ぶのであれば、自己責任になりますが、争ってみることもできます。法定更新自体はみなさんに保証された権利ですので、不動産屋さんや大家さんとの関係が悪くなることはあっても、強制的に追い出されることはありません。

ただし、（1）その物件に住んでいること、（2）滞納することなく賃料を支払っていることが条件になります。（1）には、周囲の住民に迷惑かけることなく常識ある生活をしていることも含まれます。また、「法定更新」をした場合も（1）引き続き、その物件に住み、（2）滞納することなく賃料を支払うことが条件となります。

ところで、なぜ、みなさんは更新料を支払うのでしょうか。理由もよくわからぬまま支払っている人も多いはずです。

更新料を支払うことは、「大家さんもしくは不動産屋さんと良好な関係を続けるために必要な支払い」という見解があります。

たとえばあなたが鍵を紛失してしまった場合。代わりにドアを開けてくれるのは不動産屋さんであり、大家さんです。賃料を数日滞納してしまった際に目をつぶってくれるのも、ちょっとしたトラブルに快く対応してくれるのも、もしかしたら「良好な関係」があるからかもしれません。

「法定更新」という手段を選択する際には、こうした「良好な関係」が失われることは覚悟しておかなければなりません。そして、くどいようですが、家賃はしっかりと払い、マンション・アパートで定められたルールを遵守して、普通に生活し続ける必要はあります。

さて、あなたはどう考えるでしょうか。更新に関しては以上です。

いまの部屋に引き続き居住するわけですから、手間もかかりません。あらためて比較してみるまでもなく、退室して引越するよりもはるかに楽でお得です。どんなに礼金や仲介手数料や更新料をセーブしながら引越をしたとしても、気にいった部屋を見つけて長期にわたって住み続け、更新を繰り返す生活のほうがお得なわけです。

たとえば、2年ごとに引越をしている会社員Tさん（28歳女性）は、諸経費と引越代などで毎回約50万円出費しています。これでも礼金や更新料をセーブしたり、自分と友人で引越をおこなったりと、倹約しているといいます。そんな彼女はこの春の引越で4回目。合計200万円を出費したことになりました。

かたや、同じく28歳で女性会社員のMさんは、この春で4回目の更新を迎えます。しかし、毎回の更新料を入れても支払ったお金は合計50万円以下です。2人の間に生まれた150万円の差は、「当初から良い部屋を選ぶこと」の重要さを物語っていると思います。

これまで良い部屋を選べなかったというみなさん、妥協した部屋選びはもう卒業です。今度こそは更新が繰り返せるような理想の部屋を見つけましょう。

いつかくる「退室日」のために

入室時に念入りにチェックし、写真を撮っておく

まずは入居時の注意点です。

あとでくわしくお話ししますが、あなたが責任を負うのは、あなたが通常の生活においては、起こり得ない、不注意によってつけた傷や汚れのみです。

ということは、入居前からあったキズについての責任はありません。レンタカーの出発前のキズ点検を思い出してください。

最初からあるキズを確認する作業です。賃貸もあの要領でチェックしていきます。

内見時に見つけたキズや、家具搬入前に気づいた汚れ、入居時からあるバスルームのカビ（カビも汚れの一種なので、カビだらけのバスルームにした場合は保管義務違反とみなされま

す）はすべて、写真に残しておきましょう。この際、必ず日付入りで撮っておきます。退室時に「この傷は入居前からあった」「いいや、なかった」といいあったところで、水掛け論もいいところです。重要なのは証拠です。写真なのです。

逆に、ここで撮り逃すと、退室時にはあなたがつけたキズとされてしまうかもしれません。念入りにチェックし、多くの写真を撮っておきましょう。

写真の次はメモです。

たとえば閉まりが悪い扉、開閉時にきしむふすま、機能しないコンセントなどがあった場合（それはそれで問題ですが）は、メモを取っておきます。

チェックが終わったら、写真は手元に保管しておき、メモは一部コピーを手元に残して、不動産屋さんに送っておきましょう。

不動産屋さんはたいてい独自のチェック表で入居時の状態を記録していますが、借り手もチェックをおこなうのが良いでしょう。

備品などをこわせば弁償する

その他、ベランダにCSアンテナをつけた際のキズや、不注意でガラスを割った場合も敷金から差し引かれます。

備えつけのものをこわした場合はその弁償も敷金で充当されます。たとえばインターホンなら約1万5000円、網戸やふすまを破った場合には約1万円などが敷金から引かれます。

また、退室前の簡単な掃除もしておいたほうが良いでしょう。

これは、解約時の重要事項でも定められていた場合、おこたるとクリーニング代を支払うことになってしまいます。あくまで原状回復が目的なのでピカピカにする必要はありませんが、手を抜くと掃除代（3万円〜5万円）を差し引かれることにもなりかねません。できるだけ丁寧にやっておきましょう。

最後に、あなた好みに部屋を改造した場合の原状回復についてです。

まず、大家さんに断わりなくおこなったものについては、すべて元の状態に戻す必要があります。自分で戻すにしても、大家さんが戻すにしても、その費用はあなたの負担になります。

たとえば、ペンキを塗り替えた場合には、元の色に塗り替える費用（金額は間取りによります）が生じます。そのセンスがどんなに優れていても、元の色に戻す費用を請求されることになるでしょう。勝手に替えてしまったら戻す義務が生じるわけです。

Column 5

もっとも貴重な資産

みなさんにとって、もっとも貴重な資産はなんですか？　資産といえば、現金、不動産（家）、株式といったものから家族とか友人などいろいろありますが……。「きれいごとをいえば、家族や友人だけど、やっぱり現実的には、お金でしょう」ということでしょうか。

よく人脈、金脈とかいう言葉がありますが、こんな言葉を使う人ほど、実際には本当の人脈なんかもっていない場合が多いようです。

みなさんが、一時的にリストラされたり、事業に失敗したり、または離婚して住むところがなくなったとしましょう。そのとき、あなたが復活するまで、あなたに一時的に同居を許してくれる人が何人いるでしょうか？

もちろんあなたのまわりのひとには、家族がいたり、部屋がせまかったりといろんな断る理由はたくさんあるはずです。

それでも、「当分ここに住めよ」とすべてのマイナス要因を覚悟の上、そう申し出てくれる人が何人いますか？

もし、10人以上いたなら、あなたは独立して事業を起しても成功する確率が非常に高いと言えます。20人以上いればもう間違いないでしょう。

私は、3人いればそれでも十分だと思います。もし、0人だとすると、あなたは「自分の理想の家」を探すより、先に毎日すべきことがあるかもしれません。

よく「人とのつきあいは、ギブ&テイク」だと言う人がいますが、そんなことを言っている人には、おそらく本当の友人も人脈もゼロだと思います。

人との付き合いは、ギブ&ギブ&ギブ&ギブ、そしてギブです。

みなさんに可愛い子どもや妹がいるとして、何か見返りを期待して何をしますか?

友人はしょせん他人だから、同じように気持ちにはなれませんか?

もし、皆さんが将来、いろいろな場面で誰かの助けを必要になったとき、道を示してみなさんを導いてくれる人、みなさんに救いの手を差し伸べてくれる人は、国や政府ではなく、親、もしくは友人ということになるでしょう。

みなさんの頭に中に「友人、人脈」と思えるような人がいたら、それぞれの人に「自分は今、何ができるのか?」それだけを思っていてあげれば良いと思います。

私の尊敬する取引先の三代目社長の話を付け加えます。

「長谷川君、僕は、若い時から、家が比較的裕福だったので、よく援助や支援を申し込まれたよ。そのとき、僕の気持ちのなかでは、二つの援助があったんだな。ひとつは、この人を支援してあげたら、将来きっと何か返ってくるなと思って期待しながら支援したものと、もうひとつは、この人を支援しても何も返ってこないだろうけど、それでも支援してあげようと思ったものと二つあるんだ。でも不思議なことに、将来の見返りを期待したものは、その後、まったく何も返ってこず、何も期待しないで支援したものが、ずいぶん後になって、自分や会社を助けてくれたんだよね、不思議だね」

第6章　住みはじめてからの心得

住みはじめる前に、写真で証拠を残すべし

「最初からこうだった」「いや違う」といった退室時のトラブルを避けるため、入室前に証拠を残そう。

更新時期には必ず家賃の相場を確認せよ

更新が近づいたら家賃の相場を見直し、引っ越しか更新の選択を。相場が下がっていたら値引き交渉の余地あり。

住み続けるなら2年ごとの更新料も考慮に入れよう

一般的には家賃の1ヵ月分という高額な更新料が必要。あわてる前に準備をしておこう。

きれいに住むことを心がけよ

備品の破損や常識的な日常生活範囲外の汚れは現状復帰義務があり、退室時に敷金から差し引かれる。

第7章

退室にまつわる法律知識

退室時に大切なこと

退室の申し出は30日前までにすませる

退室のベストタイミングについて考えてみましょう。

理想的なのは、前物件の退室日と次物件の入居日をぴったり合わせることです。しかし、これが案外、むずかしいものなのです。そこでポイントです。

（1）契約満了前に引越をしたい場合は、とりあえず退室の申し出をしておく

退室の申し出は通常30日前までにおこなわなければなりません。4月末日に退室したいのであれば、遅くても3月31日までに申し出る必要があり、4月分の賃料を支払い、契約が満了し

ます。

つまり、次物件の入居日から30日前までに申し出をしておかないと、2つの物件の賃料を支払うことになってしまうわけです。退室日の決定が最初で、入居日はそれから。出るのが先で入るのが後です。このタイミングを上手く合わせないと家賃を2重に支払うことになってしまいます。

(2)退室日を過ぎてしまった場合でも、追い出されることはない

たとえば3月末日が退室日で、次物件の入居可能日がたとえば4月5日以降だった場合や、次物件にまだ前の居住者がいて入居できないまま退室日がきてしまった場合、この宿無しの期間をどうすればいいのでしょうか。

実家に戻れるという人は実家に帰ればいいでしょう。友人にお世話になるという手もあります。行き場所がない場合でも心配はありません。退室日がすぎてしまっても、話し合いにより、日割りで家賃を払い、あなたは前物件に残ることができます。

ただし、早め早めに次物件が見つからないその旨を不動産屋さんに告げ、おおよその退室予

定日を決めて交渉する必要があります。

（3）すぎた日数分は日割りで支払う

契約期間を過ぎてしまっても、退室の延長の告知をしておけば更新料を支払う必要はありません。

賃料÷30日（月による）×延滞日数で、滞在した日数分の賃料だけを支払います。

ちなみに、延滞は次物件を探していることが前提で、その期限にも常識的な限度があります。1カ月を超える場合には、更新手続きが必要となったり、日割り計算をしてもらえなかったりします。あくまで常識の範囲で考えてください。

（4）退室することを決めたら、1日でも早く次の部屋を探しはじめる

前の部屋に残れば残るほど、日割りで賃料がかかります。かといって、てきとうに部屋探しをしたのでは、いい賃貸生活は送れません。退室を決めたら、早め早めに部屋探しをはじめ、

1件でも多く物件を見て回りましょう。

誤解されがちな「原状回復義務」の意味

敷金は基本的に全額取り戻す。今はそれが常識になりつつあります。

次項でくわしく述べますが、必ずしも全額取り戻せるわけではありません。なぜなら、あなたが不注意で傷つけた床の修繕費や、汚した絨毯のクリーニング代は、敷金から差し引かれる可能性があるからです。

考えなければならないのは、傷つけず、汚さずに生活する工夫を施し、敷金を差し引かれない策を講じることです。

まずは、敷金に関する正しい見解を身につけ、敷金を守る方法を覚えておきましょう。それでも不当に差し引かれるようであれば、もちろんそれは全額取り戻します。

敷金トラブルを回避しよう

「敷金」の正しい意味を知る

ここからは「敷金」をテーマに考えていきます。主となるのは、敷金を差し引かれないための努力と、敷金を取り戻すための努力です。まずは簡単に、敷金というお金がどう流れ、なにに使われるか、そのシステムを確認しておきましょう。

敷金は、みなさんが契約時に預けるお金で、入居中につけた傷や汚れなどの修繕費が差し引かれ、退室時に戻してもらうものです。実に簡単です。

みなさんの不注意やなんらかのトラブルによってつけた傷や汚れは、みなさんが負担する義務があります。しかし、通常の生活をしていて自然についてしまった傷や汚れや劣化は、大家さんの負担となります。この補修費用は家賃にすでに含まれているというのが裁判所の判断で

ません。

「判例」として出ています。誰もがこのルールを理解しているのであれば、トラブルは起こりませんが、実のところ、このルールが大家さんや不動産業者さんにもいまだ充分に理解されていません。そのため、あらゆるところであらゆるトラブルが頻発しています。というよりも、家を貸す側がこのルールを知らないか、知ってか、みなさんの負担する必要のないお金を不当に差し引いているケースが多いようです。

次に、「原状回復義務」ということについても確認しておきましょう。

原状回復義務とは言葉のとおり、「原状」に回復する義務のことを指します。が、この「原状」とは、契約時に借りた状態とまったく同じに戻すという意味ではありません。

タバコを例に考えてみましょう。

たとえば、カーペットにタバコの焦げ跡を残してしまった場合。これはみなさんの不注意ですから、保管義務違反となります（民法６１６条による同法６０１条の準用）。つまり、回復する費用はあなたが支払うというわけです。しかし、あなたの不注意ではなく、普通の生活をして付いてしまった汚れや傷、たとえば、フロアーの細い傷や汚れ、テレビや冷蔵庫の後の壁が黒く焼けたり、カレンダーをつけるために壁にあけた画鋲の穴などは、大家さんの負担になります。これが原状回復義務の内容です（民法616条による同法597条1項・598条の準用）。

敷金が戻ってこない2つの理由

次に、大家さんと敷金の関係を見てみましょう。

部屋をきれいに修繕して保っていくための出費は、基本的には、大家さんが家賃の中で負担して維持していかなければなりません。

簡単にいってしまえば、部屋を貸すというビジネスの必要経費は、大家さんが自ら負担しなければならないのです。

一方、通常の生活ではなく、たとえば室内でプロレスをして壁に穴をあけてしまったようなケースでは、預かっている敷金をその修繕費に充てることができます。

しかし、壁紙のヤニ汚れについてはどうでしょうか。国土交通省のガイドライン（原状回復にかかるトラブルが頻発していることからとりまとめられたもの）では、喫煙による壁紙の汚れは通常の損耗・汚れの範囲内とされています。つまり、これは借り手の責任ではないわけですから、そのクリーニング代を敷金から差し引くことはできないわけです。

では、あらためて考えてみましょう。なぜ預けたはずの敷金が戻ってこないのでしょうか。

それは、正しい借地借家法を大家さんも不動産業者さんも正しく理解していなかったことが原因です。そこで近年トラブル回避のため、国交省もガイドラインを作ったりしました。

それでも残念ながら現在でも敷金を取り戻すことは退室時の大きなテーマです。

あくまでも、「取り戻す」ということは、「不当に差し引かれたものを取り戻す」ということであって、必ずしも全額戻ることではないこともおぼえておいてください。

そのためには、前章で述べたように、入居時に写真やメモをとる、居住時にきれいに住む工夫をする、ということを実践しなければなりません。

敷金トラブルは、納得するまであきらめない

大家さんや不動産屋さんと交渉したにもかかわらず、それでも不当に差し引かれたり、敷金が返金されなかったりすることもあります。

こうなってしまうと、やりとりは平行線になることが多いものです。悲しいことに、こうし

た事態はまだまだ全国各地で起きています。そして多くの借り手が自分の権利を知らないがために泣き寝入りをしてしまっているのもまた事実です。

大切なのは、あきらめないこと。面倒くさがらないこと。正しいと判断される言い分は通ります。返ってくるべきお金は返ってきます。日本は法治国家の国なのですから。

退室時の立ち合いは必須

原状回復にかかる費用の見積もりは、退室直前におこなわれます。

この場合、不動産屋さんもしくは大家さんが立ち合って、その場で見積もってもらう場合と、あなたが退室した後に見積もり、連絡してもらう場合があります。

いずれにしても、不動産屋さんもしくは大家さんは入居前の状態と退室後の状態を比較して、キズや汚れ、設備の損傷、掃除具合などを確認します。

ここで、入居時に撮っておいた写真が非常に役立ちます。まずは、自分に責任のないキズや汚れに関して、きちんとその責任を回避することです。そして、借り手責任のキズを確認し、それ以外の通常の生活する上で付いた部分に関しては大家さんが負担するということを明確にしておきましょう。

立ち合いチェックの場合は、その場でおおよその見積もりを取ってもらいます。正確な金額は修理業者からの見積もりが出るまでわかりませんので、「約〇万〇千円」という目安をもらいます。そして、できれば立ち合っている大家さんもしくは不動産屋さんに一筆書いてもらいましょう。書面は、後々、万一不当な請求が生じた場合に物的証拠にもなりますので、大切に保管しておきましょう。

敷金は通常、解約後1カ月ほど後に返金されますので、書いてもらった書面の金額と返金額とを照らしあわせます。誤差がなければ、良心的に処理されたと考えていいでしょう。

入居時の写真もあり、メモもあり、退室時に一筆書いてもらったのであれば、ほとんど心配することはありません。要は、お互いがどれだけ原状回復について正しい見解を持っているかで、敷金のトラブル有無が決定します。もし大きな誤差がある場合には、不動産屋さんに問い合わせてみましょう。そして自らの意見を勇気をもって主張しましょう。

ちなみに、敷金は銀行振込で返金されるのが普通です。退室時には、きちんと振込先を連絡しておきましょう。

立ち合いがない場合は写真を撮って自分でチェック

大家さんや不動産屋さんに立ち合ってもらえない場合は、相方が同時にチェックすることができません。

まず自分でチェックをして、それを書面に残し、さらに写真を撮っておきます。

たとえば「リビングの壁に２cm程度の傷」「寝室の柱に若干のへこみ」「フローリングに３cmの引きずり跡」など、自分が責任を負うべき傷について正直に申告してしまいます。

正直にいっておけば、相手も正直に返してくれるものです。

ただ、あまりにも小さな傷や、「普通の生活」でついたような汚れに関しては大家さんの負担なのでわざわざ報告する必要もないでしょう。

この際、入居時に撮った写真と見比べて判断したということを書きます。

さらに、退室時にも撮った写真を送れば、小さなキズで多額の修繕費を請求されることも防げます。

同時に、もともとあったキズについては自分に過失がないことも明確にしておきます。

また、畳や壁の汚れについては、それが時間が経過した結果の自然損耗であることも明確にしておきます。

当然ながらこういった建物や建具自体の老朽化から生じる損耗についても負担する必要はありません。

そして、必ず修繕工事をはじめる前に、見積もり額を連絡してもらうようにしましょう。

それでもダメならのアドバイス

まずは内容証明郵便を打ってみる

戻ってきた敷金の額に疑問点があり、不動産屋さんや大家さんにまともにかけあってもらえない場合、まずは書面でこちらの主張を相手に伝える必要があるでしょう。重要なのは、普通郵便ではなく内容証明郵便で送るということです。

なぜ、内容証明郵便なのか。そもそも内容証明郵便とは何なのか。

内容証明郵便とはその名の通り、（1）手紙の内容、（2）相手に届いたことを日本郵便が法的に証明してくれる手紙です。日常生活では使うことがないので、送ったことも送られたことも、見たことすらないという人も多いかもしれません。

たとえば訴訟では、手紙の内容と郵送した日時を明確にしないと証拠となりません。そこで、普通郵便ではなく内容証明を用いるわけです。

たかが敷金の返還（とはいっても少額でもお金は大事です）をほとんどの方が裁判にまで発展させたくはありませんし、させるつもりもないでしょう。あえて内容証明郵便で送ることで、「こっちは裁判も辞さない覚悟を持っていますよ」ということを伝えることができます。

必要なのは、紙とパソコンと1140円です。

紙は市販の内容証明用の紙を使うとものものしい感じが出せますが、A4かB5のプリント用紙（白の無地の紙）などを使うこともできます。便せんなどでも問題はありません。

文字は手書きでも問題ありません。しかし、パソコンやワープロで打つのが好ましいでしょう。同じ書面を3通用意する必要がありますので。

ちなみに1通を相手に送り、1通は日本郵便が保管し、1通をあなたが保管します。

また、文面は1枚につき20字×26行と決められているので、パソコンを使う場合は、半角文字、アルファベット、数字、句読点を1文字と数えることに注意しましょう。括弧は2つで一文字です。つまり「　」、もしくは（　）のペアで一文字となります。

要点をまとめ簡潔に書く

文面の内容は、要点だけをシンプルに書くことがポイントです。

友だちに手紙を書くわけではありませんので、季節の挨拶やら近況やらというのは一切いりません。あくまで事務的に書きましょう。詳しくは196ページの例文を参考にしてください。

まず、あなたの氏名を書き、借りていた物件と物件の所在地と契約終了日を書きます（例文内※A）。

次に、退室した日と、どのような問題があったのかを書きます（例文内※B）。

文面は「です・ます」調で、文字のみです。また、写真や請求書などを同封することはできませんので、いいたいことを要約して文章にまとめましょう。

最後にあなたの振込先を書けば完成です（例文内※C）。

返金の猶予については、相手に到着する日が確定できないので「到達後×日以内」としておきましょう。相手に到着するであろう日から数日の余裕を持たせた日を設定し、「×月×日までに入金が確認できない場合は少額訴訟を起こします」の日付を決めます。

ちなみにこの日付はあなたが決めるものなので、法的な効力があるわけではありません。当然、相手に応じる気があるのであれば振り込みがあるか、「もう1週間余裕をください」などの連絡があるでしょう。

なにもなければ「応じられません。返しません」という意思表示となります。

泥棒呼ばわりしたりするような感情的な表現は避けるべきです。こういった表現は脅迫や恐喝、名誉棄損として取られることがあり、あなたに不利になります。あくまで要点だけをシンプルに、事務的に書きましょう。

文字を書き損じた場合には、二本線で消して余白に書き直し、右の欄外に「×字削除、×字加入」と書いておきます。が、見づらくなるので書き直したほうがいいでしょう。

これを3枚用意し、捺印します。

（例文）

東京都千代田区本町0－0－0　田中太郎殿

通知書

前略　私こと鈴木花子は、貴殿から千代田区本町1丁目1－1のハッピーマンション一〇一号室を賃借し、平成15年3月17日に、この契約を解除した上で（※A）、同年3月15日に当該物件の明け渡しを完了しましたところ、貴殿からの敷金の精算書が郵送されました。この精算書によりますと、次の一、二について、その修繕費用を敷金から差し引くとのことでした。

一、ハウスクリーニング費用　金二〇、〇〇〇円也

二、フローリングの張り替え費用　金五〇、〇〇〇円也

私は、通常の使用方法にしたがって貴殿の建物を使用していました。このような通常

使用に伴う自然摩耗については、法律上、私が負担するものではありません（※B）。従って、本通知書到達後一週間以内に、敷金を次の私名義の預金口座にお振り込みください。

三菱東京UFJ銀行日本橋支店普通0000000（※C）

5月31日までに入金が確認できない場合は貴殿に対し少額訴訟を起こします。草々

平成15年5月17日

東京都千代田区九段0－0－0　鈴木花子

内容証明がダメなら、少額訴訟制度へ

文面ができたら、日本郵便に持っていきます。

持っていくのは、用意した文面3通すべて（日本郵便社員が確認するので封はしないでくだ

さい)、あなたのハンコ(三文判でも可です)、封筒、1140円です。

日本郵便で「配達証明つきの内容証明郵便」を送りたいことを伝えれば、あとは日本郵便の社員が内容を確認してくれます。不備があれば修正することになりますので、必ずハンコは持っていきましょう。修正印が必要になります。

問題がなければ相手に送る1通を封筒に入れ、のりづけして送付します。控えをもらい、あなたが保管する1通と同様、大切に保管しておきましょう。のちほど、「相手にきちんと届けました」という旨の連絡書が日本郵便から送られてきますので、それも保管しておきます。

さて、振り込みを指定した日までに返金があれば、それで終わり。めでたしめでたしです。敷金の本来の意味を理解している賢明な大家さんなら、ここで敷金の返還に応じてくれると思います。

では、指定した日までに入金がなかった場合について考えてみましょう。

入金もされず、なんら連絡もない場合は相手に支払う意思がないということになります。こうなった場合には次の段階へと進みます。

泣き寝入りしない方法

「少額訴訟制度」を利用する

敷金が不当な家主側の請求により返還されない場合。もしくは返還される額に納得できない場合。本来であれば不動産屋さんや大家さんと話し合って解決するのがベストなのかもしれませんが、前項の内容証明郵便などで解決できれば、結果良しとなります。

しかし相手が応じてくれなければ、すでに家を引き払い遠くへ引っ越してしまっているので、預けてあった敷金の返還交渉をおこなうのは物理的にも精神的にも非常に面倒なものです。これまでは、戻ってこないものは実質あきらめてしまっていた人が多いのではないかと思います。

しかし、現在では「少額訴訟制度」という非常に便利な制度があります。もし、敷金などの（自分が考えうる）正当な金額が返還されない場合、少額訴訟という手段もあるということを覚えておいてください。先方がまったく話し合いに応じないなど、場合によっては、前項の「内容証明郵便」による告知などはぶいてすぐに少額訴訟の手続に入ることも一つの方法です。

少額訴訟は、簡易裁判所における民事手続きの一つです。

60万円以下の金銭の支払いを求める場合で紛争の内容があまり複雑でないものであれば、民事訴訟の特別な手続きである少額訴訟手続を利用するには、賃借人にとって非常に有効である場合があります。

この少額訴訟が、みなさんにとって納得いく解決の道になるかもしれません。

少額訴訟のケーススタディ

ここでは、私の友人井田氏（仮名）が実体験した少額訴訟の経緯経過をお伝えします。これを読んでいただければ、少額訴訟のおおよその実態が理解できると思います。

〈井田氏の場合〉

井田氏はカメラマンであり、事務所兼自宅として賃貸マンションを借りていました。

彼は入居時に3カ月分（約30数万円）の敷金を大家さんに預けていました。退室時に家具や荷物を引き払ったあと、彼は念のために部屋の写真をカメラにおさめました。

そして、自らの不注意や事故による破損、キズ、汚れというものがなかったため、敷金は全額返還されるものだと思っていました。

しかし、結果は契約書に書いてあった「原状回復をして引き渡す」という一文により、大家さんおよび仲介業者は大規模なリフォーム工事を要求し、さらにその工事を勝手におこない、工事代金として敷金以上の金額を井田氏に請求したのです。

電話で何度か仲介業者とやりとりをしましたが、井田氏の言い分はまったく聞いてもらえません。井田氏はやむなく、はじめての少額訴訟に踏みきることにしました。

井田氏は、賃貸借契約書と部屋の写真を持って最寄りの簡易裁判所に出向きました。彼は法律の専門家でもなければ、この訴訟に際して特別な本を買って勉強したわけでもありません。

しかし、簡易裁判所にいくと、担当官が少額訴訟のやり方、文章の書き方、添付資料のそろえ方等々をやさしく教えてくれたそうです。

簡易裁判所の前のコンビニでいくつかのコピーをとり、教えられるがまま訴状を書き、その場で少額訴訟を起こしました。

その後、大家さん側は弁護士をたて、むずかしい内容の答弁書を裁判所に提出してきました。つまり、通常の裁判に移行する作戦に出たのです。

井田氏は、法律用語の羅列された答弁書の内容はほとんど理解できませんでしたが、その答弁書にとくに反論することはせず、自分の意見として通常の生活をしてできた汚れや破損、キズは借家人に補修の義務はなく敷金は全額返還されるべきであると、訴え続けました。

さてみなさん、結果はどうなったと思いますか？

最終的には、裁判官からの勧告もあったのでしょう。大家さん側の弁護士が「和解したい」と伝えてきました。結果的に井田氏はほぼ全額の敷金を勝ち取りました。

すべてのケースにおいて、この井田氏のように１００％借家人の訴えが認められるとは限りません。ただし、先ほども書いたように、もしみなさんが、明らかにこれは法的に説明できない不当な理由で敷金が返還されない場合は、少額訴訟に訴えるということを考慮にいれても良いのではないでしょうか？

もちろん、結果はどうなるかわかりませんが、国土交通省のガイドラインや、東京都の条例等を参考にして判断してみてください。ただし結果がどうなるかは、ケースバイケースですので、訴訟行為はすべて自己責任でおこなってください。

少額訴訟の基本原則

以下に、少額訴訟の基本原則を記しておきます。

(1) 1回の期日で審理を終えて判決をすることを原則とする、特別な訴訟手続です。
(2) 60万円以下の金銭の支払を求める場合に限り、利用することができます。
(3) 原告の言い分が認められる場合でも、分割払、支払猶予、遅延損害金免除の判決がされることがあります。
(4) 訴訟の途中で話合いにより解決することもできます(これを「和解」といいます)。
(5) 判決書又は和解の内容が記載された和解調書に基づき、強制執行を申し立てることができます。
(6) 少額訴訟判決に対する不服申立ては、異議の申立てに限られます(控訴はできません)。
(7) 被告側の希望により通常の訴訟手続きに移ることがあります。

Column 6

人生はサイクルを描く

私は、社会に出て20数年、不動産業という仕事を通じてこれまでに何人もの人にお会いし、またここ数年続けている投資により、他社を別の角度で見てきて、最近になっていくつかの発見がありました。

その一つは、な〜んだ、当たり前じゃないという声が聞こえてきそうですが（笑）、「投資商品も企業もそして人生もみんなサイクルを描く」ということです。

日本でも昔から、このことは、

「禍福はあざなえる縄のごとし」

「盛者必衰の理」（平家物語）

「夜明けの来ない夜はない」（歌謡曲？）

「正と負の法則」（美輪明宏）

などとさまざまに表現されてきました。

最近、本当に共通した世の摂理だなと強く感じるようになりました。

自ら投資をして、自分で会社を経営してさらに多くの仲間や取引先を見続けて実感です。

私の会社も自分自身も、さらに僕のまわりの人々も企業も

「な〜んだ、全部同じなんだ。上がったり下がったりなんだ」と。

ですから、今、人生がうまく回転していない人も、あまり会社の経営や勤めている会社の中で自分の状況がうまくいっていない人も、必要以上に悲観にくれる必要は、ないと思います。

じっと努力して凌いでいれば、必ず何時か上昇していきます。

きっかけは思わぬ所から来るものです。(おそらく思わぬ人を介して)

だから、腐って自暴自棄になる必要はありません。

諦める必要もありません。

ただし、少しずつの日々の努力は必要だと思います。

毎日1cmでも5mmでも前に出る努力や勉強をしていれば、良いのだと思います。

不調の時は、ばたばたと暴れたりしては無駄なエネルギーを消費するだけです。

人生は、マラソンのように長いものです。短距離走ではありません。

ですので、現在、自分が落ち込んでいるなと思っても、人生はサイクルを描く、近い将来不思議と必ず上向いてくるということを覚えておいて下さい。

逆に今絶好調だという人は注意が必要です。

私は、自分の周りの人や、自分の取引先で「絶好調」で「何もかもがうまくいっている人」を見ると少し不安になってきます。

ここでの対処の仕方は、あまりうまくいっていない時のものより数倍実行が難しいと思います。

なぜならば、うまくいっている人は、みな「すべて自分の才能があるから」と思っていますので「ほどほどに」といった忠告や、人の意見も聞きません。

「絶好調」なときこそ、次のサイクルに備えて自己投資ができるかが重要です。

不必要な豪邸を買ったり、外車を数台も所有したりすれば、次のサイクルの大波にのまれて、多くを失うことになるでしょう。

第7章　退室時の心得

退室するなら30日前までに申し出るべし

引っ越し準備、新居への入居予定日などのタイミングを考え、慎重にスケジューリングする。

通常の住まい方であれば、敷金は全額戻ってくると心得よ

まずは契約書を引っ張り出して、敷金について再確認。常識の範囲内の汚れに原状回復の義務はない。

退室日には、家主さんか不動産屋さんの立ち会いを求めよ

敷金トラブルを防ぐ最大のポイント。入居時に撮った写真と比べながら、一緒に確認しよう。

敷金返還は、納得できるまであきらめるなかれ

話し合いで決着がつかないなら、内容証明や少額訴訟など、法的手段に出る覚悟で。

【おもな賃貸物件情報サイト】

イサイズ　http://www.isize.com/house/

at home　http://www.athome.co.jp/

Yahoo!不動産　http://realestate.yahoo.co.jp/

ADPARK（アドパーク）　http://www.home.adpark.co.jp/

CHINTAI WEB（賃貸ウェブ）　http://www.chintai.co.jp/

HOMES（ホームズ）　http://www.homes.co.jp/

住SEE（ジューシィ）　http://www.jsee.com/

MAST-WEB（マストウェブ）　http://www.mast-net.jp/

ピタットハウス　http://www.pitatto.com/

すまいらんど（http://www.smiland.co.jp）

アパマンショップ　http://www.apamanshop.com/

公共賃貸住宅インフォメーション　http://www.kokyo-chintai.jp/

お部屋探し便利帳

賃貸用語集

わかっているようで、実はわかっていない言葉、まちがって覚えてしまっている言葉、とにかく独特なものの多い賃貸用語を簡単にチェックできるよう、あいうえお順にならべました。

あ

【預かり金】

↓申込金

【アパート】

3階建て以下の集合住宅。木造や軽量鉄骨造のため、マンションに比べて冷暖房の効率が悪い場合もある。ハイツやコーポと呼ぶケースも。《対》マンション

【1畳】

畳のサイズは地方によって建物によって違う。基準としては、1畳＝90㎝×180㎝＝1・62㎡として表示。約0・5坪。団地間と呼ばれるものだと、1畳＝85㎝×170㎝＝1・44㎡。

賃貸の和室の場合、千差万別ではあるが、総じて小さい。

【一般媒介】

複数の不動産屋が仲介している物件。《対》専任媒介

【内金】

↓申込金

【打ちっ放し】

コンクリートを打ったままで仕上げている壁。デザイナーズ物件などに多い。

【ウォークインクローゼット】

人が出入りできるほど広いクローゼット。《類》クローゼット

【エントランス】

マンションの入り口部分の共有スペース。

【オートロック】

自動的に施錠と解錠ができるエントランスドア。不審者の侵入は防きやすいが完全ではない。

【追い焚き】

浴槽の湯を沸かし直す機能。毎度湯を張るよりも経済的。《類》オートバス

【屋内駐車場】

屋根つきの駐車場。出し入れのしやすさと、見通しの良さ（防犯性があるかどうか）がポイント。

【オートバス】
スイッチひとつで浴槽にお湯を張ることができ、保温、追い焚きもできる完全自動のバスシステム。《類》追い焚き
【押し入れ】
一般的には1畳。もちろん大きいほど便利に使える。クローゼットと比べて湿気がこもりやすい。《類》クローゼット

か

【カードキー】

カード状の鍵。ピッキングの被害を防げる。

【カウンターキッチン】

キッチンとダイニングルームをカウンターで仕切っているタイプのキッチン。《類》システムキッチン
【開放廊下】

廊下の片側がオープンになっている建物。《類》中廊下
【火災保険料】

契約期間中の火災と水漏れを対象にした保険。内容は様々なので、不動産屋、保険会社に確認。

【楽器可】

楽器の持ち込みと演奏が可能な物件。持ち込める楽器の種類、演奏可能な時間は物件によって異なる。《類》ペット可
【可動間仕切り】

部屋と部屋の境が、開閉式、もしくは移動式の物件。

【管理人】

管理会社もしくは家主が建物の維持管理のために雇い入れている人。常駐（住み込み）と日勤（通勤制）、巡回がある。トラブル発生時には心強い。防犯性も高まる。

【管理費】

共用部分の維持管理のために家主に支払う対価。《同》共益費
【共益費】
→管理費
【共有部分】
居室以外のスペース。主に、廊下や階段を指す。《類》管理費
【居室】
生活スペースのことで、トイレ、バスルーム、玄関、納戸を除いた場所。
【クッションフロアー】
塩化ビニールのシートを敷いた床。防音と防水に優れ、掃除が楽。CF

【グルニエ】

屋根裏部屋。収納スペースとして使われることが多い。


【クロス】

壁と天井の張り紙。正確には紙ではなく合成樹脂素材。


【クローゼット】

様式の収納スペース。ハンガーパイプで洋服を吊り、収納するタイプ。《類》ウォークインクローゼット

【軽量鉄骨造】

厚さ6㎝以下の鉄骨を使っている建物。木造よりも耐火・耐震性に優れている。ＬＧＳ

【勾配天井】

屋根の形状等により、天井が傾いている物件。圧迫感が増す。


【国土交通省ガイドライン】

相次ぐ敷金返還トラブルに対して、国土交通省が示した指針。「原状回復をめぐるトラブルとガイドライン」というが、略してこう呼ぶことが多い。国土交通省のＨＰ内などに説明がある。下記は、２００８年１月時点での掲載箇所。

http://www.mlit.go.jp/jutakukentiku/house/torikumi/kaihukugaido.htm

【サービスバルコニー】

メインとなるバルコニーの他に設けられたバルコニー。

【室外機置き場】

バルコニーにあるエアコンの室外機を置くスペース。

【下がり天井】

一部低くなっている天井部。梁やパイプスペースなどの出っ張りが原因。《類》勾配天井
【サンルーム】

リビングに足された部屋で、日光を取り入れるためにガラス張りにしてある。

【敷金】

部屋の借り手が担保として、家主に対して入居時に交付する金銭。退室した時点で返還されるのが原則。未払い賃料の充当や、なんらかの非日常的な行為によって毀損したものを補修するための費用として、家主が預かっている。《類》保証金
【システムキッチン】

流し台、調理台、ガス台がひとつのユニットになっているキッチン。《類》カウンターキッチン
【シャンプードレッサー】

ハンドシャワーつきの洗面台。

【重要事項説明】

契約が成立する以前（事前）に、契約内容、建物内容、条件、特例などを、書面にして説明

すること。宅地建物取引主任者が説明を行なう。

【敷引】

借り手が家主に対して交付する敷金のうち、一定額を借り手には返還しない慣行。返還されない一定額は契約時に決まっている。《類》敷金、保証金

【植栽】

敷地内の空きスペースやエントランスなどの植木。手入れの具合によって物件の管理状態が推し量れる。

【善管注意義務】

善良なる管理者（借り手）の、注意して物件を使う義務。

【専任媒介】

特定の不動産屋1社が仲介している物件。《対》一般媒介

【専有面積】

バルコニー以外の部屋の内側スペース。壁の中心で測った数字なので、その厚みのぶんだけ、表示されている数字より居住スペースは狭くなる。一坪（畳約2帖分）は約3・32㎡。

た

【ダイニングキッチン】

6〜8畳以上で、食事する場所があるキッチン。DK。《類》リビングダイニングキッチン

【宅配ボックス】
エントランス内などに設置されたロッカー。不在でも宅配便が受け取れる。《同》宅配ロッカー
【宅配ロッカー】
↓宅配ボックス
【仲介手数料】
不動産業者に支払う物件紹介、契約業務への対価。最大、賃料の1カ月分までと決まっている。
【賃料】
月々家主に支払うお金。管理費や共益費は含まれない。
【坪賃料】
一坪あたりの賃料。相場を調べたり、部屋選びの検討材料に使う。㎡数に0・3025をかけると坪数になる。賃料を坪数で割ったものが坪賃料。たとえば、家賃8万円・16㎡ワンルームの坪賃料を計算すると以下のようになる。16㎡×0・3025＝4・84坪　8万円÷4・84坪＝1万6529円（坪賃料）
【鉄筋コンクリート造】
建物を構成する素材が鉄筋とコンクリートを組み合わせた複合部材からなっているもの。主に壁と床の部材に用いた壁式、柱と梁に用いたラーメン構造とに大別される。ラーメン構造の場合、部屋に柱の出っ張りが見られる。一般的なマンションで多く用いられる工法。RC
【鉄骨鉄筋コンクリート造】

骨組みを鉄骨で造り、さらに鉄筋コンクリートを使った建物。強度に優れている。20階建て以下の高層マンションに多く見られる。SRC

【手付金】
↓申込金

【出窓】
建物から突き出た窓。

【テラスハウス】
各家に庭がついている物件。

【特約項目】
契約書に記載されていない条文を特別に約束する場合の事項を指す。契約時に説明されるので、借り手は内容を確認してから署名と押印する。《同》特約事項

【特約事項】
↓特約項目

な

【中廊下】
廊下が室内にある建物。カーペット敷きが多く、雨が吹き込まない。《類》開放廊下

【納戸】

採光や通風面で建築基準法が定める居室の基準に満たないため、法律上「居室」とは認められない部屋。収納部屋として利用価値が高い。サービススペース、サービスルームと表記されることも。S

は

【媒介】

仲介者。家主と借り手の間に入り、契約をまとめる。


【パイプスペース】

上下水管が通るスペース。PS

【梁】

屋根を支える構造材。室内に出っ張っている場合は圧迫感があり、家具の配置が制限される。


【バルコニー】

ひさしのないベランダ。ひさしはあるがベランダよりも高級であるというイメージを出すためにバルコニーと表示するケースも多い。手すりの高さは床から110cm以上と決められている。《類》ルーフバルコニー

【ピクチャーレール】

絵画、写真、ポスターなどを壁に飾るためのレール。


【平屋】

1階建ての建物。

【ピロティ】

1階が駐車場やエントランスで住居がない建物の共有スペース。

【振り分けタイプ】

2K以上の物件で、キッチンから各部屋に入れるタイプ。

【複層ガラス】

ガラス2枚の窓。断熱性が高い。結露防止効果も。

【プレキャストコンクリート造】

工場で製造した鉄筋コンクリートパネルを、現場で組み立てた建物。PC

【ペット可】

ペット飼育が可能な物件。どんなペットが飼えるかは物件により異なる。《類》楽器可

【保管義務】

借りた物件を大切に使う義務。

【保証会社】

借り手から契約時に1カ月の賃料の1割から2割を受け取り、連帯保証人を引き受ける会社。

【保証人】

↓連帯保証人

【保証金】

敷金と意味的に同じ。首都圏の事務所・店舗、京都以外の関西エリア賃貸住宅において使われる表現。《類》敷金、敷引

ま

【マンション】
主に、鉄骨鉄筋コンクリート造（SRC）、プレキャストコンクリート造（PC）の集合住宅。賃貸物件においてはとくに明確な定義はなく、アパートよりもグレードが高いという意味で木造集合住宅に使われるケースもある。

【メーターボックス】
上水道メーター、ガスメーターなどのメーターの設置場所。MB

【メゾネット】
一戸建てではなくマンションタイプで、2階があるタイプ。

【申込金】
申込み時に預けるお金。手付金、内金、預かり金と呼ばれるケースも。

や

【床暖房】
ガスもしくは電気で床全体を温めるシステム。暖房効果が高く、経済的。

【ユニットバス】

浴槽、洗面台、便器の3点を組み込み、防水性の高いプラスチックで床、壁、天井を一体化（ユニット化）したもの。

ら

【リビングダイニングキッチン】
10畳以上で、食事する場所があるキッチン。LDK。《類》ダイニングキッチン
【ルーフバルコニー】
下の部屋の屋根部に作ったバルコニー。《類》バルコニー
【礼金】
家主への謝礼のお金。1円も返金されない。
【レンジフード】
コンロの煙を排気するために換気扇システム。
【連帯保証人】
借り手の過失によるトラブルを賠償する人。連帯保証人なくして賃貸契約はできない。
【ロフト】
屋根裏。収納スペースとしての利用価値が高い。

略表示

【1K】

ひとつの部屋とキッチンがそれぞれ独立したタイプの物件。キッチンが6〜8畳以上の場合は1DK、8〜10畳以上の場合は1LDK。部屋がふたつある場合は2K、2DK、などとなる。


【1R】

ワンルーム。ひとつの部屋しかないタイプの物件。14㎡ならせまめ、寝室などすべてが同じ空間にあるタイプの物件。


【BS】

BS放送が受信可能な物件。


【CATV】

ケーブルテレビが視聴可能な物件。


【CS】

CS放送が受信可能な物件。


【DK】

ダイニングキッチン

【EV】

エレベーター

【K】
キッチン
【LDK】
↓リビングダイニングキッチン
【LGS】
軽量鉄骨造
【MB】
↓メーターボックス
【PC】
↓プレキャストコンクリート造
【PS】
↓パイプスペース
【RC】
↓鉄筋コンクリート造
【S】
サービススペース、サービスルーム。1SLDKや1DK+Sなどと表記される。↓納戸
【SRC】
↓鉄骨鉄筋コンクリート

【UB】
↓ユニットバス
【WIC】
↓ウォークインクローゼット

引っ越し時のチェック項目

●決まったらまず業者の手配から

入居日が決まったらすぐに引越業者の手配をはじめる。1月から4月までのシーズン中に引っ越す場合は、利用者が多いために希望日に予約ができない場合もある。友人などとレンタカー（2トン車など）を借りる場合もシーズン中は早めに手配を。引越業者は1社にしぼらず、2社以上から見積もりを。インターネットで複数の引っ越し業者から同時に見積もりをとれるサイトが複数ある。

退室日が決まったら、持っていくものと置いていくゴミとをわける。冷蔵庫やクーラー、洗濯機を捨てる場合には、リサイクル料金の支払いが生じる。また回収の手配も必要。その他の粗大ゴミに関しても、一定のサイズを超えるものは回収が必要。管轄の役所に電話をかけて確認を。

●引っ越し前に準備する書類、手続き

（1）各市区町村役所

□転出届を提出する

□転出証明書をもらう

□国民健康保険の加入者は保険証を返却
（コピーを一部取っておくこと）

（2）管轄の日本郵便

□郵便物の転送届を提出する

□郵便貯金口座を持っている人は住所変更届を提出する（銀行口座を持っている場合は、銀行で住所変更届を提出）

（3）残りは電話ですませる

□役　所

粗大ゴミを出す場合は、清掃事務所に連絡して回収してもらう

□NTT

使っている電話回線を移設する場合は、早めに連絡する（予約制なので、最低でも10日前までに手配を）

□NHK

引っ越し先を告げる

□ガス1

引っ越し日を告げ、サービスを止めて清算してもらう

□水　道
引っ越し日を告げ、サービスを止めて清算してもらう
□電　気
引っ越し日を告げ、サービスを止めて清算してもらう
□ガス2
新しい物件のガス会社に電話をし、入居日と現地到着時間を告げる

●新しい入居先での手続き

（1）市区町村役所
□転入届を提出する（転出証明が必要）
□国民健康保険に加入している人は、保険証を受け取れる日を確認する
□国民年金加入者の場合は、年金手帳を提出して住所変更をしておく

（2）ライフラインの開通
□ガ　ス
ガス会社の人が開栓してくれる
□水　道
「使用開始申込書」に記入して郵送する

□電　気

「連絡ハガキ」を郵送する

（電気ボックス内のブレーカーを上げれば開通）

（3）不動産屋さんに連絡する

□備え付けの設備が作動しない場合は、連絡しておかないと借り手が故障させたものとされることもある。

（4）隣人への挨拶

□両隣、できれば真下の部屋の人にも、安いお菓子でも良いので何か持って軽く挨拶しておく。

どんな人が住んでいるかわかりますし、一度顔を合わせておけばお互いに安心です。今後のトラブル回避にも役立ちます。

おわりに

最後まで読んでいただきありがとうございます。

本書は、２００６年10月に出版された「家を買いたくなったら」の賃貸版として、私が以前書いた「ずっと引っ越したいあなたへ」を大幅に改訂したものです。私が不動産コンサルタントとしてこれまでに得た知識と経験を、本書にもあますところなく書かせていただきました。

私自身も振り返りますと、ひとりの賃借人としてあまり愉快とは思えない体験を繰り返してきました。

なぜ、家を借りる立場の人間がお金を払うのに、お客さまとして扱われないのだろう？

なぜ、敷金は返ってこないのだろう？

なぜ、お金を払っている自分が、さらに更新料を払わなければならないのだろう？

なぜ、お金を払っている自分が、さらにお礼のお金を払わなければならないのだろう？

こういった疑問をもってこれまで過ごしてきたのは、私だけではないと思います。これらの疑問に対するある程度の答えを、みなさんに伝えたいという思いで、本書を書きました。

多くの方にとっては、家を借りることというのが、おそらくはじめての「契約行為」になるかもしれません。つまり、家を借りる過定で、人生ではじめての「交渉事」を経験し、「自己責任で大きな判断をする」わけです。そういった意味では、家を借りるというのは「法律」の勉強にもなりますし、その他非常に多くのことを経験することになります。

ですから、ここで痛い失敗や、いやな思いをすることも、長い人生においてはある意味よい経験になるのかもしれません。

しかし、本書の役目は、(しっかり読んでいただければ)大きな損害は、小さく、小さい損害は、限りなくゼロにすることの一助となることだと思います。そして、私のように不安や疑問が心にわきおこっている方ならば、ぜひ次回から行動をしてみてください。きっと本書で得た知識や知恵を活用することで、よりよい結果が得られると思います。

みなさんが、本書を通じて少しでも理想に近い家にめぐりあうことをねがってやみません。

2008年1月

長谷川　高

本書は、2004年1月28日に小社より刊行された『ずっと「引っ越したい」あなたへ』を大幅に加筆、改稿したものです。

長谷川 高（はせがわ　たかし）

長谷川不動産経済社代表。デベロッパーの投資担当として、ビル・マンション企画開発事業、都市開発事業に携わったのち1996年に独立。以来一貫して個人・法人の不動産と不動産投資に関するコンサルティング、調査、投資顧問業務を行う。一方で、講演やメディアへの出演を通して、不動産購入・投資術をわかりやすく解説している。
著書に『家を買いたくなったら』『はじめての不動産投資！』（小社刊）、『愚直でまっとうな不動産投資の本』（ソフトバンククリエイティブ刊）など。

http://www.hasekei.jp/

ブックデザイン：水戸部　功
写真：宮澤　　豪
構成：伊達　直太
編集：山崎　潤子

家を借りたくなったら

2008年 2月29日 第1版第1刷発行　定価［本体1400円＋税］
2013年11月10日　　　第7刷発行

著　者　長谷川　高
発行者　玉越直人
発行所　WAVE出版
〒102-0074 東京都千代田区九段南4-7-15
TEL 03-3261-3713　FAX 03-3261-3823
振替 00100-7-366376
E-mail : info@wave-publishers.co.jp
URL : http://www.wave-publishers.co.jp/

印刷・製本　ワイズ

NDC338 232P 19cm　ISBN978-4-87290-338-6